국민* 초급한국어2

워크북

국민대학교 국제교육원

국민대학교 출판부

국민* 초급한국어2 워크북

초판 1쇄 2021년 9월 10일
편집인 국민대학교 국제교육원
편저자 정연희, 박근영, 윤보은, 강보미
감수 이동은

발행인 임홍재
발행처 국민대학교 출판부
전화 02-910-4242~3
팩스 02-910-4240

인쇄 · 편집 동방인쇄공사
전화 02-468-0301

ISBN 978-89-7812-502-4
978-89-7812-500-0(세트)

값 10,000원 (세트 34,000원)

차례

01과 저녁은 제가 살게요

어휘

1. 〈보기〉에서 알맞은 단어를 골라 문장을 완성하세요.

보기
잠깐　　다시　　정리　　표　　벌써

1) 지금 수업이 있어서 전화를 받을 수 없어요. 1시간 후에 ________ 전화해 주세요.

2) 여기는 물건이 많고 복잡해요. 물건을 좀 ________ 해 주세요.

3) ________ 밤 10시가 되었어요. 집에 가야 해요.

4) ________ 제 얘기 좀 들어 주세요. 시간이 오래 걸리지 않아요.

5) 기차를 타기 전에 ________ 을/를 사야 합니다.

2. 〈보기〉에서 알맞은 단어를 골라 대화를 완성하세요.

보기
예매하다　　돌보다　　통화하다　　들르다　　야근하다

1) 가 : 어제 영화 겨울 바다를 봤어요. 정말 재미있었어요.
   나 : 저도 그 영화를 보고 싶어서 영화표를 ________ 았/었/였어요.

2) 가 : 선생님, 제 시험 점수를 알고 싶어요.
   나 : 네, 그럼 집에 가기 전에 사무실에 잠깐 ________ (으)세요.

3) 가 : 여보세요. 윤아 씨, 지금 ....(으)ㄹ 수 있어요?

나 : 지금은 좀 바빠요. 제가 나중에 전화할게요.

4) 가 : 오늘 일찍 집에 올 수 있어요?

나 : 아니요, 회사 일이 많아서 밤까지 ....아/어/여야 해요.

5) 가 : 오늘 저녁에 우리 집에서 같이 게임을 할까요?

나 : 미안해요.

오늘 엄마가 안 계셔서 제가 동생을 ....아/어/여야 해요.

-는데요

1. 다음 표를 완성하세요.

기본형	-는데요	-았/었/였는데요	-(으)ㄹ 건데요
가다			갈 건데요
먹다		먹었는데요	
찍다			
*듣다			
*살다			

기본형	-(으)ㄴ데요	-았/었/였는데요
크다		
깨끗하다		
좋다		
*춥다		
*멀다		

기본형	-인데요	-이었/였는데요
의사		
학생		

2. 〈보기〉에서 알맞은 것을 골라 대화를 완성하세요.

보기		
~~없다~~	안 끝났다	달다
가깝다	먹다	언니이다

1) 가 : 혹시 지우개 있어요?
   나 : 미안해요. 저도 지우개가 없는데요.

2) 가 : 여보세요. 민아 씨, 저 제프리예요.
   나 : 저는 민아 ______________. 잠깐만 기다리세요.

3) 가 : 오늘 저녁에 같이 삼계탕 먹으러 갈까요?
   나 : 저는 삼계탕을 ______________. 불고기는 어때요?

4) 가 : 약속 장소까지 택시를 타고 갈까요?
   나 : 거기까지 ______________. 걸어서 가요.

5) 가 : 뭐 마실 거예요? 주스를 마실 거예요?
   나 : 음, 주스는 좀 ______________. 물을 주세요.

6) 가 : 오늘 오후에 같이 노래방에 갈까요?
   나 : 저는 아직 시험이 ______________.
   내일 시험이 끝나요. 내일 가요.

-(으)ㄹ게요

1. 다음 표를 완성하세요.

기본형	-(으)ㄹ게요
가다	갈게요
마시다	
부르다	
연락하다	
먹다	
앉다	
*돕다	
*듣다	
*만들다	

2. 〈보기〉와 같이 대화를 완성하세요.

보기

가 : 오늘 왜 학교에 늦게 왔어요?

나 : 죄송해요. 늦게 일어났어요. 내일은 일찍 올게요.

1) 가 : 마키 씨, 물어 보고 싶은 것이 있어요. 지금 전화할 수 있어요?

나 : 지금은 바빠요. 이따가 제가 다시 ______________.

2) 가 : 이리나 씨, 수업 중에 음식을 먹지 마세요.

나 : 죄송해요. 쉬는 시간에 ______________.

3) 가 : 이 옷은 너무 작아서 입을 수 없어요.

나 : 저에게 주세요. 제가 ______________________________.

4) 가 : 수미 씨, 생일 축하해요.

나 : 고마워요. 우리 같이 저녁을 먹으러 갈까요?

제가 저녁을 ______________________________.

5) 가 : 알렉세이 씨, 수업 시간에 친구하고 얘기하지 마세요.

나 : 죄송합니다. 지금부터 수업을 잘 ______________________________.

6) 가 : 갑자기 불고기가 먹고 싶어요.

나 : 그래요? 그럼 오늘 저녁에 제가 불고기를 ______________________________.

종합연습 다음 대화를 완성하세요.

장핑 : 여보세요. 마키 씨, 저 장핑이에요. 지금 통화할 수 있어요?

마키 : 미안해요. 지금은 1)______________________________는데요/(으)ㄴ데요.

장핑 : 그래요? 그럼 제가 이따가 다시 2)______________________________(으)ㄹ게요.

(1시간 후)

마키 : 여보세요.

장핑 : 마키 씨, 지금은 통화할 수 있어요?

마키 : 네, 괜찮아요. 무슨 일 있어요?

장핑 : 내일 알렉세이 씨 생일이에요. 같이 생일 파티를 준비할까요?

마키 : 좋아요. 뭘 준비할까요?

장핑 : 마키 씨 집에 접시가 많이 있어요?

마키 : 접시는 많이 3)__________는데요/(으)ㄴ데요.

아, 제가 편의점에서 종이 접시를 4)__________(으)ㄹ게요.

장핑 : 네, 그리고 음료수도 사 올 수 있어요?

마키 : 그럼요, 케이크도 살까요?

장핑 : 아니요, 케이크는 제가 5)__________(으)ㄹ게요.

마키 : 다른 건 없어요?

장핑 : 혹시 이리나 씨에게 연락할 수 있어요?

마키 : 네, 제가 6)__________(으)ㄹ게요.

장핑 : 좋아요. 그럼 내일 만나요. 알렉세이 씨한테는 비밀이에요.

마키 : 알겠어요. 내일 봐요.

02과 저녁에 친구하고 만나기로 했어요

어휘

1. 〈보기〉에서 알맞은 단어를 골라 문장을 완성하세요.

보기				
마중하다	상담하다	응원하다	반납하다	부탁하다

1) 1주일 전에 도서관에서 책을 빌렸어요. 오늘 그 책을 ______________(으)러 도서관에 갈 거예요.

2) 대학원에 입학하고 싶어요.
그래서 대학원 입학에 대해서 선생님과 ________(으)ㄹ 거예요.

3) 고향에서 친구가 와서 공항에 ______________(으)러 갔어요.

4) 우리 반이 옆 반과 축구를 해요.
그래서 우리 반 축구팀을 __________(으)러 갈 거예요.

5) 오늘까지 이 편지를 보내야 해요.
그런데 제가 우체국에 갈 수 없어서 친구에게 ______________았/었/였어요.

2. 〈보기〉에서 알맞은 단어를 골라 대화를 완성하세요.

보기				
대청소	방금	선배	늦잠	짐

1) 가 : 내일 이사를 해요. 그런데 __________이/가 많아서 걱정이에요.
나 : 걱정하지 마세요. 제가 도와줄게요.

2) 가 : 김민수 씨가 민아 씨 친구예요?
나 : 아니요, 김민수 씨는 제 __________이에요/예요. 김민수 씨가 저보다 1년 빨리 학교에 들어갔어요.

3) 가 : 오늘 우리 ______________ 을/를 할까요?
   나 : 네, 방 청소도 하고 창문도 닦고, 화장실 청소도 깨끗이 해요.

4) 가 : 바트 씨는 일어났어요?
   나 : 아니요, 오늘 수업이 없어서 ______________ 을/를 자고 있어요.

5) 가 : 미안해요. 오래 기다렸어요?
   나 : 아니요, 저도 ______________ 왔어요.

8 -(으)려고 하다

1. 다음 계획표를 보고 〈보기〉에서 알맞은 것을 골라 문장을 완성하세요.

월요일(오늘)	화요일	수요일	목요일	금요일

보기

소포를 보내다　　머리를 자르다　　~~돈을 찾다~~
수업을 신청하다　　고기하고 과일을 사다

1) 돈이 없어서 오늘 오후에 은행에서 돈을 찾으려고 해요 .

2) 한국어 수업을 듣고 싶어요. 그래서 내일 ______________ .

3) 머리가 너무 길어요. 그래서 수요일에 미용실에서 ______________ .

4) 목요일 저녁에 친구하고 집에서 식사를 할 거예요.
   그래서 아침에 시장에서 ______________ .

5) 다음 주에 동생 생일이 있어요. 그래서 동생에게 ______________ .

2. 〈보기〉와 같이 대화를 완성하세요.

보기

가 : 오늘까지 숙제를 내야 해요. 숙제는 다 했어요?

나 : 아니요, 숙제를 하려고 했어요. 하지만 어제 갑자기 배가 아파서 숙제를 할 수 없었어요.

1) 가 : 어제 왜 학교에 안 왔어요?

나 : .... 하지만 일이 생겨서 올 수 없었어요.

2) 가 : 지난 주말에 영화 여름 편지를 봤어요?

나 : 아니요, ...

하지만 영화표가 없어서 볼 수 없었어요.

3) 가 : 내일 파티 때 드레스를 입을 거예요?

나 : 아니요, ...

하지만 너무 작아서 입을 수 없어요.

4) 가 : 왜 음식을 더 먹지 않아요? 음식이 맛이 없어요?

나 : 아니요, 음식이 맛있어서 ....

하지만 배가 불러서 더 먹을 수 없어요.

5) 가 : 이 책이 아주 재미있어요. 제프리 씨도 이 책을 읽었어요?

나 : 아니요, ...

하지만 단어가 너무 어려워서 읽을 수 없었어요.

3. 〈보기〉와 같이 대화를 완성하세요.

보기

가: 수업 후에 뭐 할 거예요?

나: 우체국에 가려고 해요.

1) 가 : 오늘 저녁에 무슨 음식을 만들 거예요?

나 : ______________________.

2) 가 : 졸업 파티 때 무슨 옷을 입을 거예요?

나 : ______________________.

3) 가 : 이번 생일에 뭘 할 거예요?

나 : ______________________.

4) 가 : 주말에 어디에 갈 거예요?

나 : ______________________.

5) 가 : 방학 때 무슨 계획이 있어요?

나 : ______________________.

6) 가 : 대학교를 졸업한 후에 뭘 하고 싶어요?

나 : ______________________.

8 -기로 하다

1. 〈보기〉에서 알맞은 것을 골라 문장을 완성하세요.

보기
~~만나지 않다~~ 걷다 끊다 취소하다 결혼하다 믿지 않다

1) 오늘 너무 바빠서 친구와 만나지 않기로 했어요.

2) 비가 계속 와서 여행 계획을 ____________________.

3) 건강이 안 좋아요. 그래서 담배를 ____________________.

4) 그 사람이 또 거짓말을 했어요.
앞으로는 그 사람의 말을 ____________________.

5) 올해 남자 친구가 대학교를 졸업하고 회사에 들어갔어요.
그래서 우리는 내년에 ____________________.

6) 건강을 위해서 매일 30분씩 ____________________.

2. 다음 대화를 완성하세요.

1) 가 : 저녁에 같이 영화를 볼까요?
나 : 미안해요. 오늘 저녁에 친구와 같이 저녁을 먹기로 했어요.
다음에 같이 영화를 봐요.

2) 가 : 시험이 끝난 다음에 뭘 할 거예요?
나 : 반 친구들과 ____________________.

3) 가 : 오늘 학생들이 늦게 와서 선생님이 화가 나셨어요.
나 : 네, 그래서 내일부터 우리 모두 ____________________.

4) 가 : 왜 영어 수업을 안 들어요?
나 : 수업이 너무 어려워서 ____________________.

5) 가 : 계속 그 집에서 살 거예요?
나 : 아니요, 너무 불편해서 다른 집으로 ______________.

6) 가 : 한국에 오기 전에 부모님과 무슨 약속을 했어요?
나 : ______________.

종합연습 다음 대화를 완성하세요.

마키 : 바트 씨, 내일 뭐 할 거예요?

바트 : 영화를 1)__________(으)려고 해요.

마키 : 혼자 보러 가요?

바트 : 아니요, 장핑 씨와 같이 2)__________기로 했어요.

마키 : 무슨 영화를 볼 거예요?

바트 : 좋은 코미디 영화가 있어서 그 영화를 3)__________(으)려고 해요.
마키 씨는 뭐 할 거예요?

마키 : 고향에서 엄마가 오셔서 공항에 마중하러 가야 해요.

바트 : 엄마가 한국에 오세요? 정말 좋겠어요.

마키 : 네, 어제 벌써 엄마하고 여행 계획에 대해서 얘기했어요.
제일 먼저 명동에서 쇼핑을 하고 돈가스를 4)__________기로 했어요. 그리고 내일과 모레 부산을 여행하고 그다음 날 제주도에 5)__________기로 했어요.

바트 : 엄마가 정말 좋아하시겠어요.

03과 한국 사람들이 여름에 자주 먹는 음식이 뭐예요?

어휘

1. 반대말을 연결하세요.

1) 덥다	• ——————— •	춥다
2) 뚱뚱하다	• •	따뜻하다
3) 흐리다	• •	더럽다
4) 시원하다	• •	날씬하다
5) 깨끗하다	• •	맑다

2. 〈보기〉에서 알맞은 단어를 골라 대화를 완성하세요.

보기

재료 눈 전통 장마 외국어

1) 가 : 왜 책을 그만 읽어요? 재미없어요?
   나 : 아니요, 책을 너무 오래 읽어서 .... 이/가 아파요.

2) 가 : 국민식당 음식 맛이 어때요?
   나 : 좋은 .... (으)로 음식을 만들어서 맛이 좋아요.

3) 가 : 이번 주말에 여행을 가려고 해요.
나 : 내일부터 .... 이어서/여서 계속 비가 올 거예요.
그러니까 다음에 가세요.

4) 가 : .... 을/를 하나 배우고 싶어요. 뭐가 좋아요?
나 : 스페인어를 배우세요. 쉽고 재미있어요.

5) 가 : 한국의 .... 옷은 무엇입니까?
나 : 한복입니다.

-아/어/여지다

1. 다음 표를 완성하세요.

기본형	-아/어/여져요	-아/어/여졌어요
싸다	싸져요	
많다		많아졌어요
좋다		
높다		
재미있다	재미있어져요	
예쁘다		예뻐졌어요
깨끗하다		
뚱뚱하다		
*춥다		
*쉽다		

2. <보기>에서 알맞은 단어를 골라 문장을 완성하세요.

| 보기 |
어렵다 좋다 조용하다 깨끗하다 멀다 ~~시원하다~~

1) 강의실이 더워서 에어컨을 켰어요.
   강의실이 아주 시원해졌어요 .

2) 방이 더러워서 청소를 했어요.
   방이 ....

3) 강의실이 너무 시끄러워서 문을 닫았어요.
   이제는 좀 ....

4) 저는 발음이 좋지 않아서 날마다 발음을 연습했어요.
   그래서 지금은 발음이 ....

5) 1급에서는 단어와 문법이 쉬웠어요.
   그런데 2급은 단어와 문법이 조금 더 ....

6) 학교 안 기숙사에서 지하철역 근처로 이사를 했어요.
   그래서 집이 학교에서 더 ....

8 -는

1. 다음 표를 완성하세요.

기본형	-는	기본형	-는
가다	가는	먹다	먹는
자다		듣다	

보다		읽다	
만나다		*살다	
쉬다		*알다	
마시다		*만들다	
배우다		*열다	

2. 〈보기〉와 같이 문장을 완성하세요.

| 보기 |

지훈 씨는 노래방에 자주 가요.

→ 지훈 씨가 자주 가는 곳은 노래방이에요.

1) 압둘라 씨는 비빔밥을 좋아해요.

→ .... 음식은 비빔밥이에요.

2) 카오루 씨는 K-POP을 자주 들어요.

→ .... 음악은 K-POP이에요.

3) 이리나 씨는 콜라를 많이 마셔요.

→ ....

4) 간토야 씨는 고양이를 좋아해요.

→ ....

5) 장핑 씨는 왕쯔이 씨하고 자주 만나요.

→ ....

6) 바트 씨는 자주 수영을 해요.

→ ....

3. 다음 그림을 보고 대화를 완성하세요.

1) 가 : 누가 알렉세이 씨예요?

   나 : 노래를 부르는 사람이 알렉세이 씨예요.

2) 가 : 누가 왕쯔이 씨예요?

   나 : ______________________________.

3) 가 : 누가 카오루 씨예요?

   나 : ______________________________.

4) 가 : ____________________ 사람은 누구예요?

   나 : 마키 씨예요.

5) 가 : ____________________ 사람은 누구예요?

   나 : 압둘라 씨예요.

6) 가 : ______________________________?

   나 : 투이 씨예요.

종합연습 〈보기〉와 같이 대화를 완성하세요.

| 보기 |

가 : 요즘 한국 날씨가 어때요?

나 : 많이 더워졌어요.
그래서 팥빙수를 자주 먹어요.

가 : 팥빙수가 뭐예요?

나 : 팥빙수는 한국 사람들이 여름에 자주 먹는 음식이에요.

가 : 그래요? 다음에 같이 먹으러 가요.

가 : 요즘 ______________ 날씨가 어때요?

나 : 많이 ______________.
그래서 ______________ 자주 ______________ 아/어/여요.

가 : ______________ 이/가 뭐예요?

나 : ______________________________.

가 : ______________________________.

04과 은행에 가서 환전을 해야 해요

어휘

1. 관계있는 것을 연결하세요.

1) 옷 •	• 입다
2) 넥타이 •	• 쓰다
3) 운동화 •	• 매다
4) 안경 •	• 신다

2. 〈보기〉에서 알맞은 단어를 골라 대화를 완성하세요.

보기

모으다 놓다 쓰다 홈페이지 환전

1) 가 : 선생님, 우리 반 친구들 숙제 공책을 가져 왔어요.
   나 : 고마워요. 제 책상 위에 .... 아/어/여 주세요.

2) 가 : 이번 방학에도 여행을 갈 거예요?
   나 : 네, 러시아에 갈 거예요. 그래서 지난달부터 돈을 .... 고 있어요.

3) 가 : 지금 이메일을 보내야 해요.
   미안하지만 잠깐 컴퓨터 좀 .... (으)ㄹ 수 있어요?
   나 : 네, 잠깐만요.

4) 가 : 서울미술전시회에 가고 싶어요. 어떻게 예약할 수 있어요?
   나 : 전화로 예약할 수 있어요. 그리고 서울미술관 인터넷 .... 에서도 예약할 수 있어요.

5) 가 : 수업 끝나고 어디에 갈 거예요?

나 : ____________ 을/를 하러 은행 갈 거예요. 한국 돈이 필요해요.

-아/어/여서[2]

1. 그림을 보고 〈보기〉와 같이 문장을 완성하세요.

보기

아침에 일어나서 우유를 마셨어요 .

1)  ____________________.

2)  ____________________.

3)  ____________________.

4) 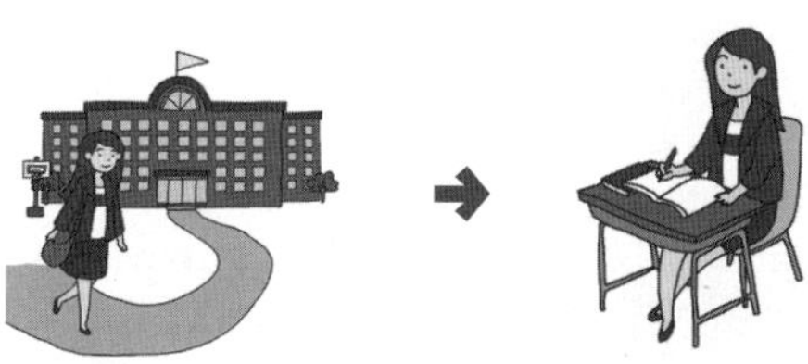 ____________________.

5) 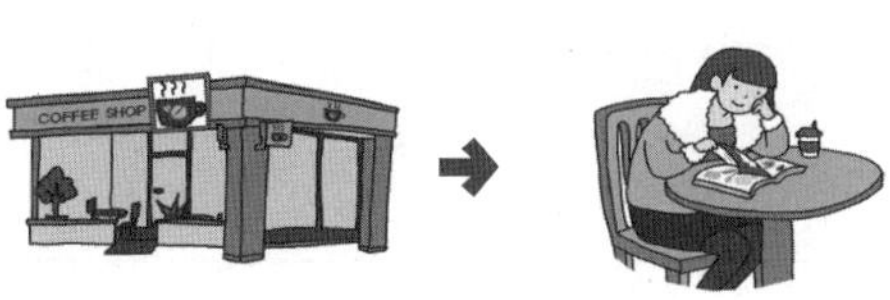

____________________.

2. 관계있는 것을 연결하고 문장을 완성하세요.

1) 생일 카드를 쓰다 •	• 물을 마셔요
2) 미용실에 가다 •	• 봉투에 넣었어요
3) 사과를 씻다 •	• 먹었어요
4) 매일 아침 일어나다 •	• 쇼핑을 할 거예요
5) 은행에서 돈을 찾다 •	• 머리를 자를 거예요

1) 생일 카드를 써서 봉투에 넣었어요 .

2) .

3) .

4) .

5) .

8 -(으)ㄴ 2

1. 다음 표를 완성하세요.

기본형	-(으)ㄴ	기본형	-(으)ㄴ
가다	간	읽다	
보다		신다	
만나다		*돕다	
마시다		*묻다	
쓰다		*걷다	
먹다	먹은	*살다	
입다		*만들다	

2. 〈보기〉와 같이 문장을 완성하세요.

보기

친구가 우리 집에 왔어요. 그 친구는 장핑 씨예요.
→ 우리 집에 온 친구는 장핑 씨예요 .

1) 선생님이 빨간색 바지를 입었어요. 그 선생님은 김 선생님이에요.
→ ______________________________.

2) 주말에 산에 갔어요. 그 산은 북한산이에요.
→ ______________________________.

3) 산책을 하러 공원에 갔어요. 그 공원에 나무가 아주 많았어요.
→ ______________________________.

4) 어제 친구하고 같이 김치찌개를 먹었어요. 그 김치찌개가 좀 매웠어요.
→ ______________________________.

5) 오늘 문법을 배웠어요. 그 문법을 집에서 복습할 거예요.
→ ______________________________.

3. 다음 지훈 씨의 일기를 읽고 문장을 완성하세요.

저는 지난주 설 연휴에 가족들을 만나러 고향에 갔습니다. 부모님 선물도 샀습니다. 설날 아침에는 어머니께서 만드신 떡국을 먹었습니다. 그 후에 부모님께 세배를 하고 세뱃돈을 받았습니다. 저도 부모님께 준비한 선물을 드렸습니다. 오후에는 가족들과 같이 윷놀이를 했습니다. 아주 재미있었습니다. 설날에 맛있는 음식을 먹고 재미있는 놀이도 해서 좋았습니다.

1) 지훈 씨가 지난주 설 연휴에 간 곳은 고향 이에요/예요.

2) 지훈 씨가 산 것은 .... 이에요/예요.

3) 설날 아침에 어머니께서 ....(으)ㄴ .... 은/는 떡국이에요.

4) 지훈 씨가 부모님한테서 ....(으)ㄴ .... 은/는 세뱃돈이에요.

5) 지훈 씨가 설날 오후에 한 일은 .... 이에요/예요.

종합연습 〈보기〉에서 알맞은 것을 골라 글을 완성하세요.

| 보기 |
꺼내다 만들다 넣다 사 오다 ~~가다~~ 쓰다

오늘 친구 생일 파티에 갔습니다. 친구는 치즈 케이크를 좋아합니다. 그래서 친구 집에 가기 전에 빵집에 가서 치즈 케이크를 샀습니다. 제가 직접 치즈 케이크를 1).......... 아/어/여서 주고 싶었지만 시간이 없어서 만들 수 없었습니다. 그리고 생일 축하 카드도 썼습니다. 제가 2)..........(으)ㄴ 카드를 예쁜 봉투에 3).......... 아/어/여서 줬습니다. 친구는 케이크와 카드를 받고 기뻐했습니다. 친구는 냉장고에서 차가운 커피를 4).......... 아/어/여서 가지고 왔습니다. 그리고 친구가 준비한 커피와 제가 5)..........(으)ㄴ 케이크를 맛있게 먹었습니다.

05과 한국 사람하고 이야기할 때 아직도 힘들어요

어휘

1. 〈보기〉에서 알맞은 단어를 골라 문장을 완성하세요.

보기

배탈　　신청서　　신분증　　간식　　통장

1) 오후 4시인데 배가 고파서 ______ 을/를 좀 먹었어요.

2) 은행에 가서 ______ 을/를 만들려고 해요.

3) 학생증을 만들 거예요? 그럼, 여기 ______ 에 이름하고 주소를 써 주세요.

4) 어제 파티에서 음식을 너무 많이 먹어서 ______ 이/가 났어요.

5) 한국어능력시험을 볼 때 ______ 이/가 있어야 해요. 여권, 외국인 등록증을 미리 준비하세요.

2. 〈보기〉에서 알맞은 단어를 골라 대화를 완성하세요.

보기

이해하다　　어리다　　회식하다　　태어나다　　갔다 오다

1) 가 : 동생이 몇 살이에요?
나 : 제 동생은 저보다 1살이 ______ 아/어/여요.

2) 가 : 오늘 일찍 집에 들어올 거예요?
나 : 아니요, 저녁에 회사에서 같은 팀 사람들하고 ______ 기로 했어요.

3) 가 : 왜 그래요? 무슨 일 있어요?

나 : 지갑을 집에 놓고 왔어요. 잠깐 집에 ....(으)ㄹ게요.

4) 가 : 제프리 씨는 고향이 어디예요?

나 : 뉴욕이에요. 2005년에 미국 뉴욕에서 ....아/어/여서 15살까지 뉴욕에서 살았어요.

5) 가 : 카오루 씨, 한국학 수업을 듣고 있죠? 어때요?

나 : 재미있어요.

그런데 선생님 말이 조금 빨라서 가끔 ....(으)ㄹ 수 없어요.

8 못

1. 다음 표를 보고 〈보기〉와 같이 문장을 완성하세요.

	카오루	마키	지훈	이리나	투이	제프리
○	 테니스	 기타	 자전거	 스케이트	 요가	 농구
×	 탁구	 피아노	 말	 스키	 수영	 야구

보기

카오루 씨는 테니스를 칠 수 있어요. 하지만 탁구는 못 쳐요.

1) 마키 씨는 .... 하지만 ....

2) 지훈 씨는 .... 하지만 ....

3) 이리나 씨는 .... 하지만 ....

4) 투이 씨는 .... 하지만 ....

5) 제프리 씨는 .... 하지만 ....

2. 〈보기〉와 같이 대화를 완성하세요.

보기

가 : 수영을 할 수 있어요?

나 : 아니요, 저는 수영을 못 해요 .

1) 가 : 방학 때 고향에 가요?

나 : 아니요, 아르바이트가 있어서 ....

2) 가 : 아침을 먹었어요?

나 : 아니요, 시간이 없어서 ....

3) 가 : 숙제를 했어요?

나 : 아니요, 어제 피곤해서 ....

4) 가 : 제가 노래할 때 기타를 좀 쳐 주세요.

나 : 저는 .... 하지만 피아노는 칠 수 있어요.

피아노도 괜찮아요?

5) 가 : 이번 주말에 스키장에서 스키를 타려고 해요. 마키 씨는 스키를 탈 수 있어요?

나 : 아니요, 저는 .... 하지만 배우고 싶어요.

가 : 그럼 제가 가르쳐 드릴게요.

8 -(으)ㄹ 때

1. 다음 문장을 완성하세요.

1) 저는 부모님이 보고 싶을 때 부모님께 전화를 해요.

2) 저는 감기에 걸렸을 때 ______________________.

3) 저는 학교에 올 때 ______________________.

4) ______________________ 저는 집에서 요리를 해요.

5) 저는 ______________________ 슬픈 영화를 봐요.

6) 우리 나라에서는 ______________(으)ㄹ 때 ______________.

2. 〈보기〉와 같이 대화를 완성하세요.

보기

가 : 언제 커피숍에 가요?

나 : 친구를 만날 때 커피숍에 가요.

1)

가 : 언제 기분이 좋아요?

나 : ______________________ 기분이 좋아요.

2)

가 : 언제 택시를 타요?

나 : ______________________ 택시를 타요.

3)

가 : 언제 정장을 입어요?

나 : ______________________ 정장을 입어요.

4) 

가 : 언제 화가 나요?
나 : .... 화가 나요.

5) 

가 : 언제 쇼핑을 해요?
나 : .... 쇼핑을 해요.

6) 

가 : 언제 산책을 해요?
나 : .... 산책을 해요.

7) 

가 : 언제 친구에게 전화를 해요?
나 : .... 전화를 해요.

종합연습 〈보기〉에서 알맞은 것을 골라 글을 완성하세요.

| 보기 |

산책을 하다 식사하다 ~~기분이 나쁘다~~
웃다 코미디를 보다

저는 1) 기분이 나쁠 때 산책을 합니다. 2)................................ (으)ㄹ 때 음악을 듣습니다. 그러면 기분이 조금 좋아집니다. 그리고 집에 와서 맛있는 고향 음식을 만듭니다. 3)................................ (으)ㄹ 때 저는 보통 텔레비전을 봅니다. 주로 재미있는 코미디를 봅니다. 그러나 4)................................ (으)ㄹ 때 한국말을 잘 몰라서 가끔 못 5).. .

06과 예약을 못 하면 어떻게 하려고 해요?

어휘

1. 〈보기〉에서 알맞은 단어를 골라 문장을 완성하세요.

보기

결혼식　　추억　　호수　　나중　　책장

1) 춘천에 가서 ________ 근처를 친구와 같이 걸었어요. 아주 아름다웠어요.

2) 다음 달에 언니의 ________ 이/가 있어서 축하하러 고향에 가려고 해요.
   언니의 남편도 만날 거예요.

3) 한국에 와서 공부한 경험이 좋은 ________ 이/가 될 거예요.

4) 책이 너무 많아서 ________ 을/를 하나 더 사려고 해요.

5) ________ 에 한국에 꼭 다시 와서 선생님과 친구들을 만나고 싶어요.

2. 〈보기〉에서 알맞은 단어를 골라 대화를 완성하세요.

보기

얘기하다　　옮기다　　생기다　　외출하다　　찾아보다

1) 가 : 이 책상을 옆 교실로 ________ 아/어/여야 해요. 좀 도와줄 수 있어요?
   나 : 네, 제가 도와줄게요.

2) 가 : 제프리 씨를 만나러 왔는데요.
   나 : 제프리 씨는 .... 았/었/였어요. 이따가 밤에 들어올 거예요.

3) 가 : 수업 후에 잠깐 .... (으)ㄹ 수 있어요?
   나 : 미안해요. 오늘은 바빠서 집에 일찍 가야 해요.

4) 가 : 학교 앞에 닭갈비 가게가 새로 .... 았/었/였어요.
   나 : 그 식당 이름이 뭐예요? 저도 가고 싶어요.

5) 가 : 지금 부산에 가는 버스가 있어요?
   나 : 잠깐만요. 제가 인터넷으로 지금 .... (으)ㄹ게요.

-(으)ㄹ

1. 다음 표를 완성하세요.

기본형	-(으)ㄹ	기본형	-(으)ㄹ
가다	갈	먹다	먹을
자다		읽다	
보다		*돕다	
쉬다		*듣다	
마시다		*걷다	
내리다		*살다	
자르다		*만들다	
부르다		*열다	

2. 〈보기〉와 같이 문장을 완성하세요.

| 보기 |

제가 주말에 음식을 만들 거예요. <u>그 음식</u>은 불고기예요.

→ 제가 주말에 만들 음식은 불고기예요 .

1) 내일 영화를 볼 거예요. <u>그 영화</u>는 한라산이에요.

→ ....

2) 남자 친구에게 선물을 줄 거예요. <u>그 선물</u>은 시계예요.

→ ....

3) 일요일에 친구를 만날 거예요. <u>그 친구</u>는 한국대학교 학생이에요.

→ ....

4) 내일 문법을 배울 거예요. <u>그 문법</u>이 어려워요.

→ ....

5) 주말에 공원에 갈 거예요. <u>그 공원</u>에서는 자전거를 탈 수 있어요.

→ ....

6) 청소하면서 노래를 들을 거예요. <u>그 노래</u>는 나인이 불렀어요.

→ ....

7) 다음 주에 이사할 거예요. <u>그 집</u>은 학교에서 가깝지 않아요.

→ ....

3. 다음 초대장을 보고 문장을 완성하세요.

마키 씨, 이번 주 토요일에 제 생일 파티를 할 거예요. 시간이 있으면 파티에 꼭 오세요.

- 시간: 저녁 7시
- 파티 장소: H레스토랑
- 오시는 길: 지하철 2호선을 타고 삼성역에서 내리세요.
  3번 출구로 나오세요.

– 장핑

1) 이번 주에 생일 파티를 할 사람은 장핑 씨예요.

2) 마키 씨가 토요일에 ______________ 사람은 장핑 씨예요.

3) 마키 씨가 장핑 씨를 ______________ 시간은 저녁 7시예요.

4) 장핑 씨가 ______________(으)ㄹ ______________은/는 H레스토랑이에요.

5) 마키 씨가 ______________(으)ㄹ ______________은/는 2호선이에요.

6) 마키 씨가 ______________(으)ㄹ ______________은/는 삼성역이에요.

7) 마키 씨가 ______________________________.

8 -(으)면

1. 관계있는 것을 연결하고 문장을 완성하세요.

1) 제주도에 가다 •	• 그 옷을 사려고 해요
2) 심심하다 •	• 먹지 마세요
3) 용돈을 받다 •	• 말을 타고 싶어요
4) 김치가 너무 맵다 •	• 우리 집에 놀러 오세요
5) 고향에 가다 •	• 선생님께 이메일을 보낼게요

1) 제주도에 가면 말을 타고 싶어요 .

2) .

3) .

4) .

5) .

2. 〈보기〉와 같이 대화를 완성하세요.

| 보기 |

가 : 교실에 오면 보통 뭘 해요?

나 : 교실에 오면 먼저 커피를 마셔요 .

1) 가 : ____ 씨 나라에서는 감기에 걸리면 어떻게 해요?

나 : .

2) 가 : 용돈을 다 쓰면 어떻게 할 거예요?

나 : .

3) 가 : 눈이 오면 뭘 하고 싶어요?

나 : .

4) 가 : 고향 친구가 서울에 오면 어디에 갈 거예요?

나 : .

5) 가 : 부산에 여행을 가면 무엇을 하고 싶어요?

나 : .

6) 가 : 여권을 잃어버리면 어떻게 해야 해요?

나 : .

종합연습 다음 대화를 완성하세요.

왕쯔이 : 곧 방학이에요. 방학이 되면 뭐 하고 싶어요?

간토야 : 저는 방학 때 친구하고 한국 여기저기를 여행하려고 했어요. 그런데 제 친구가 몽골에 돌아가서 같이 1)__________(으)ㄹ 친구가 없어요.

왕쯔이 : 그럼 저하고 같이 갈까요?

간토야 : 정말요? 좋아요! 그런데 왕쯔이 씨는 어디에 가고 싶어요?

왕쯔이 : 저는 시간이 많이 2)__________(으)면 한국의 작은 도시들을 여행하고 싶어요. 간토야 씨는요?

간토야 : 저도요. 인터넷에서 전주 한옥 마을을 보고 한번 가고 싶어졌어요. 전주는 음식이 맛있어서 3)__________(으)ㄹ 것도 많아요.

왕쯔이 : 그럼 전주에 갈까요? 전주에 4)__________(으)면 한옥에서 숙박하는 게 어때요?

간토야 : 와, 그거 정말 좋은 생각이에요!

07과 청소는 다 했는데 요리는 아직 못 했어요

? 어휘

1. 〈보기〉에서 알맞은 단어를 골라 문장을 완성하세요.

보기
성격　　동영상　　과목　　분위기　　쓰레기

1) 어렸을 때 제가 제일 좋아한 ____________은/는 수학이었어요.

2) 비 오는 날에는 ____________이/가 좋은 커피숍에서 조용한 음악을 듣고 싶어요.

3) 스트레스가 많을 때 재미있는 ____________을/를 보면 기분이 좋아져요.

4) 배달 음식을 먹으면 ____________이/가 많이 나와요.

5) 장핑 씨는 ____________이/가 좋아서 우리 반에서 인기가 많아요.

2. 〈보기〉에서 알맞은 단어를 골라 대화를 완성하세요.

보기
맑다　　싸다　　늦다　　활발하다　　즐겨 보다　　정리하다　　추천하다

1) 가 : 요즘 무슨 드라마를 보세요?
   나 : 주말 저녁에 하는 그 여자의 비밀이 재미있어서 ____________고 있어요.

2) 가 : 내일 날씨가 어떨까요?
   나 : 오전에는 날씨가 ____________지만 오후부터 비가 올 거예요.

3) 가 : 지금 뭐 하고 계세요?
   나 : 여행을 가려고 짐을 ____________고 있어요.

4) 가 : 선생님, ________아/어/여서 죄송합니다.
나 : 네, 내일부터는 조금 일찍 오세요.

5) 가 : 오늘 우리 같이 저녁 먹을까요?
나 : 미안하지만 다음에 먹어요.
어제 이사를 해서 오늘 방을 ________아/어/여야 해요.

6) 가 : 기숙사 친구들과 잘 지내요?
나 : 네, 성격이 밝고 ________(으)ㄴ 친구들이 많아서 분위기가 좋아요.

7) 가 : 한국에서 조용하고 경치가 좋은 곳으로 여행을 가고 싶어요.
________고 싶은 곳이 있어요?
나 : 시골 여행이 어때요? 사람도 많지 않고 경치가 아름다운 곳이 많아요.

8 -(으)ㄹ까요?[2]

1. 〈보기〉에서 알맞은 것을 골라 문장을 완성하세요.

보기
좋다 ~~이 선물을 좋아하다~~ 도착했다
어렵다 많다 얼마나 걸리다 얼마나 나오다

1) 제 친구가 이 선물을 좋아할까요 ?

2) 지난번 쓰기 시험을 못 봐서 걱정이에요. 이번 쓰기 시험이 ________?

3) 토요일에 한강공원에 가려고 해요. 날씨가 ________?

4) 금요일 오후에 백화점에 가면 사람이 ________?

5) 지금 명동에 가는 버스를 타면 시간이 ________?

6) 서울에서 부산까지 KTX로 가면 요금이 ________?

7) 왕쯔이 씨가 오늘 아침에 고향에 가는 비행기를 탔어요. 잘 ________?

8 -(으)ㄹ 거예요²

1. 〈보기〉에서 알맞는 것을 골라 문장을 완성하세요.

보기
살다 덥다 ~~쉬다~~ 만나다 읽다 듣다 맛있다 많다

1) 오늘 왕쯔이 씨는 집에서 쉴 거예요.

2) 압둘라 씨는 지금 도서관에서 책을 ______________.

3) 이리나 씨는 학교 기숙사에서 ______________.

4) 마키 씨는 교실에서 수업을 ______________.

5) 언니는 지금 커피숍에서 친구를 ______________.

6) 그 가게는 예쁜 옷이 많아서 손님이 ______________.

7) 내일은 날씨가 ______________.

8) 장핑 씨가 만든 음식이 ______________.

2. 〈보기〉와 같이 대화를 완성하세요.

보기

가 : 제프리 씨도 내일 간토야 씨 집에 올까요 ?

나 : 아마 올 거예요 .

1) 가 : 지금 학생 식당에 가면 사람이 ______________ ?

나 : 점심 시간이어서 아마 많을 거예요.

2) 가 : 프랑스어를 배우고 싶어요. 프랑스어가 ______________ ?

나 : 아마 어려울 거예요. 하지만 열심히 하면 잘할 수 있을 거예요.

3) 가 : 바트 씨 전화번호를 누가 ______________ ?

나 : 간토야 씨가 바트 씨하고 친해요. 간토야 씨에게 물어보세요.

4) 가 : 다녀오겠습니다.

나 : 잠깐만요. 우산을 가지고 가세요. 아마 오늘 오후에 ______________ .

5) 가 : 카오루 씨는 지금 뭘 할까요?

나 : 내일부터 시험이어서 도서관에서 ______________ .

6) 가 : 내일도 날씨가 더울까요?

나 : 오늘 날씨가 더웠어요. 내일 날씨도 ______________ .

7) 가 : 강 선생님은 결혼하셨을까요?

나 : ______________ .

8) 가 : 장핑 씨는 ______________ ?

나 : 아마 ______________ .

8 -는데

1. 〈보기〉와 같이 문장을 완성하세요.

보기
저는 떡볶이를 잘 먹는데 제 동생은 안 먹어요. (먹다)

1) 저는 노래방에 자주 ______________ 제 친구는 자주 가지 않아요.
(가다)

2) 영어 점수는 ______________ 일본어 점수는 안 좋아요.
(좋다)

3) 저는 김 선생님을 ______________ 민수 씨는 김 선생님을 몰라요.
(알다)

4) 언니는 키가 ______________ 동생은 키가 커요.
(작다)

5) 민수 씨 집은 학교에서 ______________ 철수 씨 집은 학교에서 가까워요.
(멀다)

6) 한국에 처음 왔을 때는 기숙사에 ______________ 지금은 학교 근처 원룸에 살아요.
(살았다)

7) 예전에는 김치를 안 ______________ 지금은 잘 먹어요.
(먹었다)

8) 어릴 때는 운동을 ______________ 지금은 별로 안 좋아해요.
(좋아했다)

9) 옛날에는 노래를 잘 ______________ 지금은 노래를 못 불러요.
(불렀다)

2. 〈보기〉와 같이 대화를 완성하세요.

| 보기 |

가 : 두 분 다 매운 음식을 좋아하세요?

나 : 저는 매운 음식을 좋아하는데 제 친구는 매운 음식을 싫어해요.

1) 가 : 형제들이 모두 성격이 활발해요?
나 : 아니요, 저는 ______________ 제 형은 조용해요.

2) 가 : 방 두 개가 다 커요?
나 : 아니요, 이 방은 ______________ 저 방은 작아요.

3) 가 : 흰색 바지도 있어요?
나 : 아니요, 검정색은 ______________ 흰색은 없어요.

4) 가 : 오늘 저녁에 압둘라 씨하고 같이 삼겹살을 먹을까요?
나 : 저는 삼겹살을 잘 ______________ 압둘라 씨는 안 먹어요. 닭갈비는 어때요?

5) 가 : 아르바이트를 시작한 다음에 많이 바빠졌어요?
나 : 네, 아르바이트를 하기 전에는 시간이 ______________ 아르바이트를 시작한 다음부터 바빠졌어요.

6) 가 : 오늘도 날씨가 추워요?
나 : 아니요, 어제는 날씨가 ______________ 오늘은 조금 따뜻해졌어요.

3. <보기>와 같이 대화를 완성하세요.

보기

가: 원룸과 고시원은 뭐가 달라요?

나: 원룸에는 방 안에 부엌과 화장실이 있는데 고시원에는 없어요 .

1) 가 : 고향 날씨와 한국 날씨는 어떻게 달라요?

나 : .

2) 가 : 학교 식당과 학교 밖에 있는 식당은 어떻게 달라요?

나 : .

3) 가 : ____ 씨는 동생과 많이 닮았어요?

나 : 아니요, .

4) 가 : 기숙사 친구들은 성격이 어때요?

나 : .

5) 가 : 한국어 1급과 2급은 어떻게 달라요?

나 : .

6) 가 : 한국에 오기 전과 지금 뭐가 달라졌어요?

나 : .

종합연습 〈보기〉에서 알맞은 것을 골라 대화를 완성하세요.

보기

맵지 않다　　요리를 못하다　　좋다　　괜찮다

투이 : 마키 씨, 무슨 생각을 해요?

마키 : 고향 생각을 하고 있어요. 한국 생활이 힘들어서 요즘 고향 생각이 많이 나요.

투이 : 그래요? 저도 처음에는 그랬는데 지금은 괜찮아졌어요. 마키 씨도 점점 1)____________아/어/여질 거예요. 그런데 뭐가 제일 힘들어요?

마키 : 한국과 우리 고향 음식이 많이 달라서 힘들어요. 우리 나라 음식은 2)____________는데/(으)ㄴ데 한국 음식은 매워요.

투이 : 그러면 집에서 고향 음식을 만들어서 드세요.

마키 : 저는 요리를 잘 못해요.

투이 : 저도 처음에는 3)____________는데/(으)ㄴ데 지금은 요리 실력이 좋아졌어요. 마키 씨도 계속 요리를 하면 실력이 4)____________아/어/여질 거예요.

08과 쭉 가다가 사거리에서 왼쪽으로 돌아가세요

어휘

1. 〈보기〉에서 알맞은 단어를 골라 문장을 완성하세요.

보기
쭉 음료 골목 계단 맛

1) 우리 집 앞 ________ 은/는 너무 좁아서 차가 못 다녀요.

2) 더우니까 커피숍에 가서 시원한 ________ 을/를 마실까요?

3) 엘리베이터가 고장 나서 11층까지 ________ (으)로 올라왔어요.

4) 어제 먹은 음식 ________ 이/가 이상해서 먹다가 버렸어요.

5) 여기에서 앞으로 ________ 가다가 그다음 사거리에서 오른쪽으로 돌아가세요.

2. 〈보기〉에서 알맞은 단어를 골라 대화를 완성하세요.

보기
꾸다 내려오다 들어오다 그만두다 서두르다

1) 가 : 지금 5층에 있어요.
나 : 그래요? 저는 2층 사무실에 있으니까 ________ (으)세요.

2) 가 : 많이 피곤해요? 얼굴이 안 좋아요.
나 : 네, 어제 무서운 꿈을 ________ 아/어/여서 잠을 잘 못 잤어요.

3) 가 : 지금부터 수업을 시작하겠어요. 빨리 교실로 ....(으)세요.
나 : 네, 알겠습니다.

4) 가 : 시간이 별로 없으니까 좀 ....(으)세요.
나 : 네, 빨리 준비할게요.

5) 가 : 요즘도 아르바이트를 하고 있어요?
나 : 아니요, 공부할 시간이 없어서 ....았/었/였어요.

8 -다가

1. 〈보기〉와 같이 문장을 완성하세요.

| 보기 |

학교에 오고 있었어요. 친구를 만났어요.
→ 학교에 오다가 친구를 만났어요 .

1) 요리를 하고 있었어요. 전화를 받았어요.
→ ....

2) 공원을 걷고 있었어요. 의자에서 좀 쉬었어요.
→ ....

3) 부모님한테서 온 이메일을 읽고 있었어요. 울었어요.
→ ....

4) 버스를 타고 가세요. 지하철로 갈아타세요.
→ ....

5) 지하철 2호선을 타고 가세요. 4호선으로 갈아타세요.
→ ....

2. 〈보기〉와 같이 대화를 완성하세요.

보기

가 : 왜 숙제를 안 했어요?

나 : 텔레비전을 보다가 잤어요.

1) 가 : 여보세요. 마키 씨, 뭐 하고 있었어요?
   나 : .... 전화를 받았어요.

2) 가 : 기분 좋은 일 있어요?
   나 : .... 옛날 친구를 만났어요.

3) 가 : 지금 기숙사에서 살아요?
   나 : .... 원룸으로 이사했어요. 혼자 살고 싶어서요.

4) 가 : 어제 본 영화가 어땠어요?
   나 : 너무 슬퍼서 .... 울었어요.

5) 가 : 이리나 씨, 집을 못 찾겠어요. 지금 세탁소 앞이에요. 어떻게 가야 해요?
   나 : ....

-(으)니까

1. 다음 표를 완성하세요.

기본형	-(으)니까	기본형	-(으)니까
가다	가니까	예쁘다	예쁘니까
자다		싸다	

마시다		깨끗하다	
전화하다		많다	
먹다		적다	
읽다		재미있다	
*돕다		*맵다	
*듣다		*걷다	
*알다		*길다	

2. 〈보기〉와 같이 문장을 완성하세요.

보기
다음 주에 시험을 보니까 열심히 공부하세요.
(시험을 보다)

1) ____________________ 따뜻한 옷을 입으세요.
(날씨가 쌀쌀하다)

2) ____________________ 물을 좀 드세요.
(떡볶이가 맵다)

3) ____________________ 제가 전화하겠습니다.
(그 학생 전화번호를 알다)

4) ______________________________ 좀 조용히 하세요.

5) ______________________________ 청소를 할까요?

3. 〈보기〉와 같이 대화를 완성하세요.

보기

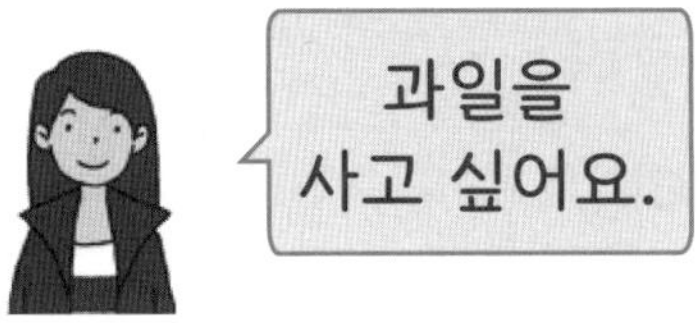

: 어디로 과일을 사러 갈까요 ?

: 시장이 싸니까 시장으로 가요 .

1)

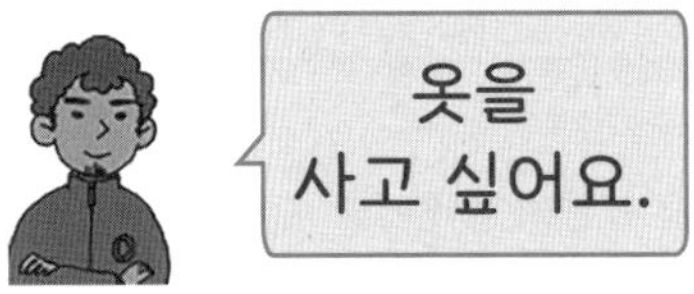

: ....?

: ....

2)

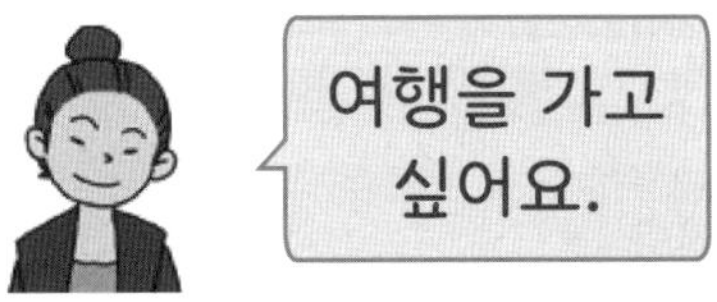

: ....?

: ....

3)

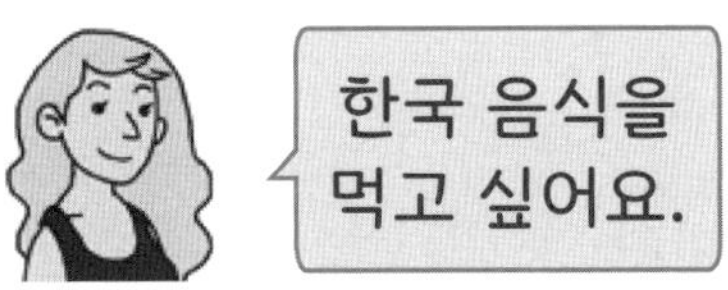

: ....?

: ....

4)

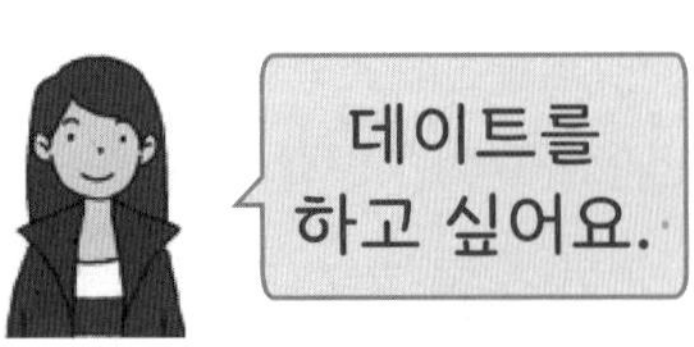

: ....?

: ....

종합연습 그림을 보고 〈보기〉와 같이 대화를 완성하세요.

보기

가 : 실례합니다. 은행이 어디에 있습니까?

나 : 이 길로 쭉 가다가 사거리에서 왼쪽으로 가세요.
병원 옆에 은행이 있어요. 4시에 문을 닫으니까 빨리 가세요.

가 : 실례합니다. .... ?
(미용실)

나 : ....
....
....
(손님이 많다 / 전화를 하고 가다)

09과 집 안에 신발을 신고 들어가면 안 돼요

어휘

1. 〈보기〉에서 알맞은 단어를 골라 문장을 완성하세요.

보기
앉다　　풀다　　지키다　　키우다　　촬영하다

1) 어제 명동에서 영화 ________는 것을 봤어요. 거기에서 유명한 배우도 봤어요.

2) 장핑 씨는 항상 약속을 잘 ________아/어/여요.

3) 저기 의자에 ________아/어/여서 좀 쉴까요?

4) 시험 문제가 쉬워서 빨리 ________았/었/였어요.

5) 고향 집에서 강아지 두 마리하고 고양이 한 마리를 ________고 있어요.

2. 〈보기〉에서 알맞은 단어를 골라 대화를 완성하세요.

보기
건물　　고민　　소리　　예절　　회의

1) 가 : 한국의 식사 ________에는 뭐가 있어요?
　나 : 한국에서는 밥을 먹을 때 밥그릇을 들고 먹으면 안 돼요.

2) 가 : 김 선생님하고 통화할 수 있어요?
　나 : 죄송하지만 지금 ________ 중이신데요. 30분 후에 다시 전화해 주세요.

3) 가 : 어디에서 담배를 피울 수 있어요?

나 : .... 밖으로 나가시면 담배를 피우는 장소가 있습니다.

4) 가 : 대학교를 졸업하면 무슨 일을 하고 싶어요?

나 : 글쎄요, 저는 되고 싶은 게 너무 많아서 .... 이에요/예요.

5) 가 : 음악 .... 이/가 너무 커서 시끄러워요.

나 : 죄송해요. 조용히 할게요.

8 -아/어/여도 되다

1. 〈보기〉와 같이 문장을 완성하세요.

| 보기 |
지금 화장실에 가다 → 지금 화장실에 가도 돼요 ?

1) 이 주스를 마시다 → .... ?

2) 여기에서 기다리다 → .... ?

3) 밥 먹기 전에 약을 먹다 → .... ?

4) 잠깐 사무실에 다녀오다 → .... ?

5) 이 우산을 좀 쓰다 → .... ?

6) 여기에서 음악을 듣다 → .... ?

2. 〈보기〉와 같이 대화를 완성하세요.

보기

가 : 그 사전을 좀 써도 돼요 ?

나 : 네, 쓰세요.

1) 가 : 수업 시간에 김밥을 ________________ ?

나 : 아니요, 쉬는 시간에 드세요.

2) 가 : 내일 발표문을 ________________ ?

나 : 네, 내일까지 꼭 가져오세요.

3) 가 : 제가 계속 기다려야 해요?

나 : 아니요, 지금 집에 ________________ .

4) 가 : 서류를 꼭 이메일로 보내야 합니까?

나 : 아니요, 팩스로 ________________ .

5) 가 : 물어볼 것이 있어요. 이따가 ________________ ?

나 : 그럼요, 전화하세요.

6) 가 : 여기 자리 있어요? 좀 ________________ ?

나 : 네, 앉으세요.

-(으)면 안 되다

1. 그림을 보고 〈보기〉와 같이 문장을 완성하세요.

| 보기 |

담배를 피우면 안 돼요 .

1) ______________________.

2) ______________________.

3) ______________________.

4) ______________________.

2. 다음 장소에서 무엇을 하면 안 돼요? 〈보기〉와 같이 안내문을 쓰세요.

| 보기 |

도서관

전화를 하면 안 돼요.

음식을 먹으면 안 돼요.

도서관 책에 글씨를 쓰면 안 돼요.

1) 지하철

....

....

....

2) 박물관

....

....

....

3) 엘리베이터

....

....

....

종합연습

여러분의 나라에서 '해도 되는 것'과 '하면 안 되는 것'을 표에 쓰고 글을 완성하세요.

해도 되는 것	하면 안 되는 것
•	•
•	•
•	•

우리 나라에서는

10과 관심이 있으면 한번 가 보세요

어휘

1. 〈보기〉에서 알맞은 단어를 골라 문장을 완성하세요.

보기: 화 관심 경험 도시 공기

1) 저는 아르바이트를 해 본 .... 이/가 없어요. 그래서 한번 해 보고 싶어요.

2) .... 에 살면 여러 시설이 많아서 편리하지만 사람이 많고 좀 복잡해요.

3) 어제 친구하고 등산했어요. .... 이/가 맑고 경치도 예뻤어요.

4) 저는 축구에 .... 이/가 없으니까 그 얘기는 더 하지 마세요.

5) 친구가 오늘도 약속을 지키지 않았어요. 너무 .... 이/가 나서 친구하고 이야기하고 싶지 않아요.

2. 〈보기〉에서 알맞은 단어를 골라 대화를 완성하세요.

보기: 울다 구하다 외우다 잘되다 따라가다

1) 가 : 선생님, 다음 시간에 단어 시험이 있어요?
   나 : 네, 있어요. 그러니까 오늘 배운 단어를 꼭 .... (으)세요.

2) 가 : 학교 서점이 어디에 있어요?
   나 : 학생회관에 있어요. 간토야 씨도 서점에 가니까 잘 모르면 간토야 씨를 .... (으)세요.

3) 가 : 저 이번에 한국 회사에 들어갔어요. 다음 달부터 출근해요.
   나 : 그래요? ______________ 았/었/였어요. 정말 축하해요.

4) 가 : 이사할 집을 ______________ 았/었/였어요?
   나 : 네, 마음에 드는 원룸을 찾았어요.

5) 가 : 무슨 일 있어요? 왜 ______________ 아/어/여요?
   나 : 드라마가 너무 슬퍼서요.

-아/어/여 보다

1. 〈보기〉와 같이 문장을 완성하세요.

| 보기 |

한국에서 놀이공원에 가 봤어요 ?
(가다)

1) 한국에 와서 스키를 ______________________ ?
(타다)

2) 전에 이 음료수를 ______________________ ?
(마시다)

3) 고향에 있을 때 혼자 ______________________ ?
(여행하다)

4) 한국 전통 음악을 ______________________ ?
(듣다)

5) 노래방에서 한국 노래를 ______________________ ?
(부르다)

2. 다음 대화를 완성하세요.

1) 가 : 제가 열쇠를 잃어버렸어요.
   나 : 그래요? 다시 한번 잘 ______________________.

2) 가 : 도서관이 오늘 문을 열어요?
   나 : 모르겠어요. 도서관에 한번 ______________________.

3) 가 : 떡볶이를 만들어 봤어요?
   나 : ______________________.

4) 가 : 김치 박물관에 가 보셨어요?
   나 : ______________________.

5) 가 : 지금까지 어떤 아르바이트를 해 봤어요?
   나 : ______________________.

-(으)면서

1. 그림을 보고 〈보기〉와 같이 문장을 완성하세요.

보기

장핑 씨가 춤을 추면서 노래를 해요.
(춤을 추다)

1)

제임스 씨가 .... 운전을 해요.
(노래를 부르다)

2)

바트 씨가 .... 전화를 하고 있어요.
(TV를 보다)

3)

압둘라 씨가 .... 친구와 얘기해요.
(사진을 보다)

4)

윤아 씨가 .... 운동을 해요.
(음악을 듣다)

5)

지훈 씨가 .... 영화를 봐요.
(콜라와 팝콘을 먹다)

2. 〈보기〉와 같이 대화를 완성하세요.

보기

가 : 윤아 씨와 지훈 씨가 뭘 하고 있어요?

나 : 영화를 보면서 데이트를 하고 있어요.

1)

가 : 미나 씨가 뭐 해요?

나 : .... 책을 읽고 있어요.

2)

가 : 민수 씨가 뭐 해요?

나 : .... 공부하고 있어요.

3)

가 : 마키 씨가 뭐 해요?

나 : ....

4)

가 : 알렉세이 씨가 뭐 해요?

나 : ....

5)

가 : 바트 씨가 뭐 하고 있어요?

나 : ....

종합연습 다음 대화를 완성하세요.

바트 : 제프리 씨, 어제 뭐 했어요?

제프리 : 친구 집에 가서 컴퓨터를 고쳤어요.

바트 : 제프리 씨, 컴퓨터를 고칠 수 있어요?

제프리 : 네, 컴퓨터에 관심이 있어서 많이 1)..............................아/어/여 봤어요.

바트 : 그래요? 그럼 제 컴퓨터도 좀 고쳐 주세요.
며칠 전부터 좀 이상해요.

제프리 : 그럼, 오늘 수업 끝나고 바트 씨 집에 같이 가요.

바트 : 좋아요. 컴퓨터 고친 다음에 뭐 할까요?

제프리 : 음, 2)..............................(으)면서 게임할까요?

바트 : 제프리 씨, 윷놀이를 3)..............................아/어/여 봤어요?

제프리 : 아니요, 4)..............................아/어/여 봤어요.

바트 : 그럼 5)..............................(으)면서 윷놀이 해요. 제가 가르쳐 줄게요.

제프리 : 좋아요.

11과 운동을 해 보려고 스포츠 센터를 찾고 있어요

어휘

1. 〈보기〉에서 알맞은 단어를 골라 문장을 완성하세요.

보기

벌다　　싫다　　두껍다　　신선하다　　취직하다

1) 돈을 많이 ....(으)면 세계 여행을 다니고 싶어요.

2) 한국 회사에 ....고 싶어서 한국어를 열심히 배우고 있어요.

3) ....(으)ㄴ 과일과 채소를 살 수 있어서 집 근처 시장에 자주 가요.

4) 이 책이 재미있지만 너무 ....아/어/여서 아직 다 못 읽었어요.

5) 혼자 사는 게 ....아/어/여서 기숙사로 이사했어요.

2. 〈보기〉에서 알맞은 단어를 골라 대화를 완성하세요.

보기

낮잠　　세일　　자신　　평소　　오랜만

1) 가 : 마키 씨, 잘 지냈어요? 반가워요.
   나 : 이리나 씨, ...이에요/예요. 고향에 잘 다녀왔어요?

2) 가 : 어제 등산 힘들었어요?
   나 : 아니요, ...에 운동을 많이 해서 별로 힘들지 않았어요.

3) 가 : 한국어 말하기 대회 광고 봤어요? 한번 나가 보세요.
　 나 : 저는 한국말을 잘 못해서 .... 이/가 없어요.

4) 가 : 어제 수업 끝나고 뭐 했어요?
　 나 : 너무 피곤해서 점심 먹은 다음에 .... 을/를 잤어요.

5) 가 : 사과를 왜 이렇게 많이 샀어요?
　 나 : .... 을/를 해서 많이 샀어요. 같이 먹어요.

8 (이)나, -거나

1. 〈보기〉와 같이 문장을 완성하세요.

| 보기 |

아침에 빵이나 밥을 먹어요.
(빵 / 밥)

1) 내일 날씨가 좋으면 운동장에서 같이 .... 할까요?
(농구 / 축구)

2) 명동에 가고 싶으면 길음역에서 .... 타세요.
(지하철 / 버스)

3) 집에 있을 때 .... 자주 들어요.
(케이팝(K-POP) / 재즈)

4) 오늘 점심에는 시간이 별로 없으니까 .... 먹을까요?
(샌드위치 / 김밥)

5) 다음 주 친구 생일에 .... 선물하고 싶어요.
(화장품 / 향수)

2. 〈보기〉와 같이 문장을 완성하세요.

| 보기 |
친구를 만나면 밥을 먹거나 커피를 마셔요.
(밥을 먹다)

1) 심심하면 ________________ 책을 읽어요.
(TV를 보다)

2) 주말에는 ________________ 친구를 만나요.
(낮잠을 자다)

3) 토요일 오전에는 보통 집에서 ________________ 청소를 해요.
(빨래를 하다)

4) 요즘은 밖에서 사 먹지 않아요. 제가 ________________ 배달을 시켜요.
(음식을 만들다)

5) 스트레스를 받으면 ________________ 인터넷 쇼핑을 해요.
(단 음식을 먹다)

3. 〈보기〉와 같이 대화를 완성하세요.

| 보기 |
가 : 주말에 뭘 하세요?
나 : 집에서 쉬거나 친구를 만나요.

1) 가 : 친구를 만나면 뭘 해요?
나 : ________________.

2) 가 : 심심할 때 뭘 해요?
나 : ________________.

3) 가 : 고향에 돌아가면 뭘 할 거예요?

나 : ....

4) 가 : 고향에 있는 친구에게 어떻게 연락을 해요?

나 : ....

5) 가 : 초등학생 때 여름 방학이 되면 보통 뭘 했어요?

나 : ....

8 -(으)려고

1. 관계있는 것을 연결하고 문장을 완성하세요.

1) 친구 생일 때 주다 •	• 책을 샀다
2) 심심할 때 읽다 •	• 케이크를 샀다
3) 연락을 하다 •	• 한국어를 배우고 있다
4) 한국 회사에 취직하다 •	• 전화번호를 물어봤다
5) 뉴스를 듣다 •	• 재료를 샀다
6) 떡볶이를 만들다 •	• 라디오를 켰다

1) 친구 생일 때 주려고 케이크를 샀어요 .

2) ....

3) ....

4) ....

5) ....

6) ....

2. 〈보기〉와 같이 대화를 완성하세요.

| 보기 |

가 : 영어 학원을 다녀요?

나 : 네, 미국에 유학을 가려고 영어를 배워요.

1) 가 : 왜 컴퓨터를 켰어요?

나 : .... 컴퓨터를 켰어요.

2) 가 : 왜 사무실에 가요?

나 : 모르는 것이 있어서 선생님한테 .... 사무실에 가요.

3) 가 : 왜 반지를 샀어요?

나 : 여자 친구에게 .... 반지를 샀어요.

4) 가 : 김밥을 많이 가져왔네요. 혼자 먹을 거예요?

나 : 아니요, ... 많이 만들었어요.

5) 가 : 왜 고기를 많이 샀어요?

나 : 오늘 친구들이 집에 오기로 했어요.

그래서 불고기를 .... 샀어요.

종합연습 다음 대화를 완성하세요.

왕쯔이 : 마키 씨, 뭐 해요?

마키 : 주말에 1)________________(으)려고 재미있는 영화를 찾고 있어요. 왕쯔이 씨도 주말에 시간이 있으면 같이 볼까요?

왕쯔이 : 좋아요. 무슨 영화를 보려고 해요?

마키 : 2)__________(이)나 __________을/를 보고 싶어요. 왕쯔이 씨는요?

왕쯔이 : 저는 다 좋아요. 아, 요즘 극장에서 영화 친구를 하고 있어요. 그 영화 어때요?

마키 : 좋아요. 그 영화를 봐요.

(영화를 본 다음에)

마키 : 영화 어땠어요?

왕쯔이 : 재미있었어요. 마키 씨는 영화를 자주 보세요?

마키 : 네, 주말마다 봐요. 왕쯔이 씨는 주말에 뭘 하세요?

왕쯔이 : 저는 3)____________________거나 ____________________.

마키 : 그래요? 그럼 다음에는 같이 4)______________________________.

12과 작년에 그 공연을 본 적이 있어요

어휘

1. 〈보기〉에서 알맞은 단어를 골라 문장을 완성하세요.

보기				
수술	기억	악기	출퇴근	교통사고

1) ________ 시간에는 길이 막히니까 지하철을 타는 게 더 좋아요.

2) 눈이 많이 오네요. ________ 이/가 나기 쉬우니까 천천히 운전하세요.

3) ________ 에 남는 영화가 있으면 추천해 주세요.

4) 너무 걱정하지 마세요. ________ 을/를 받으면 건강해질 거예요.

5) 저는 ________ 중에서 피아노 소리를 제일 좋아해요.

2. 〈보기〉에서 알맞은 단어를 골라 대화를 완성하세요.

보기				
아쉽다	떨리다	넘어지다	중요하다	떨어지다

1) 가 : 이번 주말에 영화 보러 갈까요?
   나 : 저는 못 가요. 다음 주에 ________ (으)ㄴ 시험이 있어서 공부해야 해요.

2) 가 : 왜 다리를 다쳤어요?
   나 : 어제 축구를 하다가 ________ 았/었/였어요.

3) 가 : 발표 잘 했어요?
   나 : 아니요, 너무 ________ 아/어/여서 외운 게 생각이 안 났어요.

4) 가 : 갑자기 일이 생겨서 이번 주말에 고향에 돌아가야 해요.
   나 : 그렇게 빨리 가요? 이제 못 봐서 너무 .... 네요.

5) 가 : 한국어능력시험 잘 봤어요?
   나 : 아니요, 너무 어려웠어요. 공부를 안 해서 아마 .... (으)ㄹ 거예요.

8 -네요

1. 〈보기〉와 같이 문장을 완성하세요.

| 보기 |

가방이 비싸네요.
(비싸다)

1) 

식당에 사람이 ....
(많다)

2) 

아기가 ....
(귀엽다)

3) 

길이 많이 ....
(막히다)

4) 

지훈 씨가 열심히 ....
(청소하다)

5) 

생일 파티에 친구들이 ....
(많이 왔다)

2. 〈보기〉와 같이 대화를 완성하세요.

보기

가 : 어제 이 가방을 샀어요. 어때요?

나 : 예쁘네요.

1) 가 : 제가 만든 떡볶이 좀 드셔 보세요.

나 : 맵지 않고 정말 ....

2) 가 : 이 향수 어때요?

나 : 음, 향이 참 .... 어디에서 샀어요?

3) 가 : 한국어능력시험 6급을 받고 싶어서 매일 5시간씩 한국어를 공부해요.

나 : 와, ...

4) 가 : 집에서 학교까지 얼마나 걸려요?

나 : 차로 10분쯤 걸려요.

가 : .... 학교에 다니기 편하겠어요.

5) 가 : 조금만 더 걸을까요?

나 : 좀 .... 오늘은 그만 걸어요.

8 -(으)ㄴ 적이 있다/없다

1. 〈보기〉에서 알맞은 것을 골라 문장을 완성하세요.

보기

공부하다 ○ ~~운전하다 ○~~ 타다 X

아르바이트하다 X 사진을 찍다 ○

1) 서울에서 운전한 적이 있어요.
서울에는 차가 많아서 운전하는 게 아주 힘들었어요.

2) 지금까지 한 번도 ....
커피숍이나 식당에서 해 보고 싶어요.

3) 유명한 사람과 ....
중학생 때 좋아하는 가수하고 찍은 사진을 지금도 가지고 있어요.

4) 고향에 있을 때 스페인어를 ....
스페인 여행을 가기 전에 한 달 동안 기초 스페인어를 배웠어요.

5) 우리 나라는 날씨가 너무 더워서 눈이 오지 않아요.
그래서 스키를 ....

2. 〈보기〉와 같이 대화를 완성하세요.

보기
가 : 해외여행을 해 본 적이 있어요?
나 : 네, 유럽에 가 본 적이 있어요.

1) 가 : 한강공원에서 자전거를 타 봤어요?
나 : ....

2) 가 : ....?
나 : 아니요, 읽은 적이 없어요.

3) 가 : 어렸을 때 외국에서 살았어요?
나 : ....

4) 가 : 한국 전통 음악을 들어 봤어요?

나 : ______________________.

5) 가 : ______________________?

나 : 네, 해 본 적이 있습니다.

종합연습 다음 대화를 완성하세요.

가 : 주말 즐겁게 보내셨어요?

나 : 네, 저는 부산에 여행을 갔다 왔어요.

가 : 그래요? 저도 1)______________(으)ㄴ 적이 있어요.
주말에 서울에는 비가 왔는데 부산 날씨는 어땠어요?

나 : 맑고 따뜻했어요. 여기 사진이 있어요.

가 : 와, 2)______________네요. 부산에서 뭐 하셨어요?

나 : 바닷가에서 산책하고 회도 먹었어요.

가 : 저도 다시 3)______________네요.

13과 이 모자는 안 어울릴 것 같은데요

어휘

1. 〈보기〉에서 알맞은 단어를 골라 문장을 완성하세요.

보기

자꾸　　마다　　결과　　장학금　　주인공

1) 저는 주말 ______ 자전거를 타러 한강에 가요.

2) 다음 주에 한국어능력시험 ______ 이/가 나올 거예요.

3) 쓰레기 버리는 날을 ______ 잊어버려서 핸드폰에 메모했어요.

4) 이번 학기에 ______ 을/를 받으려고 열심히 공부하고 있어요.

5) 그 드라마의 ______ 이/가 죽어서 너무 슬펐어요.

2. 〈보기〉에서 알맞은 단어를 골라 대화를 완성하세요.

보기

쓰다　　그치다　　졸리다　　낫다　　화려하다

1) 가 : 지금 밖에 비가 많이 와요?
나 : 조금 와요. 우산을 ______ 지 않아도 될 것 같아요.

2) 가 : 이번 노래 대회 때 무슨 옷을 입을까?
나 : ______ (으)ㄴ 옷을 입으면 멋있을 것 같아.

3) 가 : 감기는 어때요? 괜찮아졌어요?
나 : 아니요, 약을 먹었지만 잘 ________________지 않네요.

4) 가 : 점심 먹고 바로 책을 읽으니까 너무 ________________네요.
나 : 그럼 우리 커피 한잔할까요?

5) 가 : 비가 ________________고 날씨가 더 추워졌어요.
나 : 맞아요. 이제 곧 겨울이 오겠어요.

8 -는/(으)ㄴ/(으)ㄹ 것 같다

1. 맞는 것을 고르세요.

1) 동생이 전화를 안 받아요. 지금 (잔, 자는) 것 같아요.

2) 죄송하지만 길이 많이 막혀서 한 시간 후에 (도착하는, 도착할) 것 같아요.

3) 룸메이트가 하루 종일 말을 안 해요. 기분이 안 (좋은, 좋을) 것 같아요.

4) 시험이 너무 어려웠어요. 시험을 못 (본, 보는) 것 같아요.

5) 친한 친구가 요즘 연락이 없어요. 많이 (바쁜, 바쁠) 것 같아요.

6) 오늘 날씨가 정말 덥네요. 내일도 (더운, 더울) 것 같아요.

7) 윤아 씨가 남자 친구하고 전화할 때 한국어를 사용하지 않아요.
윤아 씨 남자 친구가 (외국 사람인, 외국 사람이 아닌) 것 같아요.

2. 〈보기〉와 같이 대화를 완성하세요.

보기
가 : 지금 날씨가 어때요? (비가 오다)
나 : 비가 오는 것 같아요.

1) 가 : 우리 주말에 제프리 씨하고 명동에 갈까요? (주말마다 아르바이트를 하다)
나 : 제프리 씨는 안 될 거예요. ....

2) 가 : 마키 씨한테 전화했는데 계속 안 받네요. (지금 한국어 수업을 듣다)
나 : ....

3) 가 : 왕쯔이 씨 못 봤어요? 교실에 없네요. (아까 집에 갔다)
나 : ....

4) 가 : 세탁소에 좀 다녀올게요. (가게 문을 닫다)
나 : 내일 가세요. 수요일마다 ....

5) 가 : 길이 막히네요. 우리가 약속 시간에 도착할 수 있을까요? (좀 늦을 것이다)
나 : 글쎄요, 제 생각에는 ....

6) 가 : 아기가 아까부터 계속 울어요. 왜 그럴까요? (배가 고프다)
나 : .... 언제 우유를 줬어요?

7) 가 : 제가 A학점을 받을 수 있을까요? (좋은 성적을 받을 것이다)
나 : 그동안 열심히 공부했으니까 ....

8) 가 : 어제 소개를 받은 한국 친구는 어때요? (재미있는 사람이다)
나 : 처음 만나서 잘 모르겠지만 ....

3. 〈보기〉와 같이 대화를 완성하세요.

| 보기 |

가 : 내일도 비가 올까요?

나 : 아니요, 비가 안 올 것 같아요.

1) 

가 : 알렉세이 씨가 전화를 안 받네요.

나 : 아마 지금 ______________________.

2) 

가 : 우리 이 영화 볼까요?

나 : 다른 거 봐요. 이 영화는 좀 ______________.

3) 

가 : 진수 씨가 왜 이사를 하는 거예요?

나 : 지금 사는 집이 ______________________.

4) 

가 : 이번 주말에 백화점에 쇼핑하러 갈까요?

나 : 시간이 있으면 내일 갈까요?

주말부터 세일을 해서 사람이 ______________.

5) 

가 : 버스를 탈까요? 지하철을 탈까요?

나 : 지하철을 타요.

퇴근 시간이어서 길이 ______________________.

6) 

가 : 사무실에 선생님이 계세요?

나 : 아니요, ______________________________.

7) 

가 : 왜 카오루 씨가 이 여자에게 선물을 줄까요?
나 : ....

8) 

가 : 마이클 씨가 만드는 케이크가 맛있을까요?
나 : ....

종합연습 다음 대화를 완성하세요.

점원 : 어서 오세요.

투이 : 마키 씨, 이 청바지 어때요?

마키 : 투이 씨한테 1)..는/(으)ㄴ/(으)ㄹ 것 같아요.

투이 : 그럼 저 까만색 바지는 어때요?

마키 : 저것도 2)..는/(으)ㄴ/(으)ㄹ 것 같아요.

투이 : 둘 다 마음에 드네요. 어떤 옷으로 살까요?

마키 : 글쎄요, 한번 입어 보세요. 저기요, 3)....................아/어/여도 돼요?

점원 : 그럼요, 입어 보세요.

(입어 본 다음에)

마키 : 지금 입은 청바지가 더 잘 4)..............................는/(으)ㄴ/(으)ㄹ 것 같아요.

투이 : 저도 이게 더 마음에 들어요.
그런데 사이즈가 좀 5)..는/(으)ㄴ/(으)ㄹ 것 같아요.
저기요, 이 청바지 한 사이즈 작은 것으로 주세요.

점원 : 네, 잠깐 기다리세요.

14과 저한테 한국말을 잘한다고 했어요

어휘

1. 〈보기〉에서 알맞은 단어를 골라 문장을 완성하세요.

보기				
금방	상담	내용	이유	그대로

1) ________ 만든 빵이어서 냄새도 좋고 정말 맛있네요.

2) 그 드라마의 다음 주 ________ 이/가 너무 궁금해요.

3) 부모님한테서 받은 용돈을 쓰지 않고 ________ 가지고 있어요.

4) 우리 학교 유학생지원센터의 ________ 시간은 오전 9시부터 오후 1시까지입니다.

5) 아르바이트를 하는 ________ 은/는 다양한 경험을 하고 싶기 때문이에요.

2. 〈보기〉에서 알맞은 단어를 골라 대화를 완성하세요.

보기				
기르다	주문하다	다양하다	떠들다	참석하다

1) 가 : 우리 짜장면을 ________ 아/어/여서 먹을까요?
   나 : 좋아요. 주소는 국민대 정릉 기숙사 303호예요.

2) 가 : 핸드폰을 사러 왔는데요.
   나 : 종류가 ________ (으)니까 천천히 구경하세요.

3) 가 : 버스 안에서 ________ (으)면 안 돼요.
   나 : 그래요. 우리 좀 조용하게 이야기해요.

4) 가 : 요즘 채소 가격이 비싸졌어요.

나 : 네, 그래서 집에서 채소를 ______________ 는 사람들이 많다고 해요.

5) 가 : 오늘 회의에 사장님께서 ______________ (으)십니까?

나 : 네, 회의에 오신다고 합니다.

-는/ㄴ다고 하다, -다고 하다

1. 〈보기〉와 같이 문장을 바꿔 쓰세요.

보기

투이

한국 음식을 좋아해요.

→ 투이 씨가 한국 음식을 좋아한다고 했어요 .

1) 

마키

매일 도서관에 가서 책을 읽어요.

→ ______________________________.

2) 

알렉세이

고향 음식을 자주 만들어요.

→ ______________________________.

3) 

카오루

오늘 날씨가 좋아요.

→ ______________________________.

4) 

압둘라

고향은 여름에 아주 더워요.

→ ______________________________.

5) 

왕쯔이

한국 사람이 아니에요.

→ ______________________________.

6) 

간토야

주말에 책을 읽었어요.

→ ....

7) 

장핑

고향에서 한국어를 배우지 않았어요.

→ ....

8) 

투이

다음 시험은 어렵지 않을 거예요.

→ ....

2. 〈보기〉와 같이 대화를 완성하세요.

보기

가 : 이번 방학에 여행을 가려고 해요. 어디가 좋을까요?

나 : 부산에 가 보세요. 제 친구들이 바다가 아름답다고 했어요 .

1) 가 : 주말에 친구가 와서 서울 구경을 하려고 해요. 어디에 가면 좋을까요?

나 : 한강공원이 좋으니까 한강에 가 보세요.

한국 친구가 ....

2) 가 : 주말에 영화를 보려고 해요. 어떤 영화가 재미있을까요?

나 : ....

3) 가 : 고향에 갈 때 가족에게 선물을 하려고 해요. 무엇이 좋을까요?

나 : ....

4) 가 : 오후에 날씨가 어떨까요? 일기예보를 봤어요?

나 : 네, 일기예보를 봤어요. 오후에 ....

5) 가 : 알렉세이 씨 만났어요? 알렉세이 씨가 어제 뭐 했다고 했어요?

나 : ....

8 -냐고/(으)라고/자고 하다

1. 〈보기〉와 같이 문장을 바꿔 쓰세요.

| 보기 |

투이

무슨 영화를 좋아해요?

→ 투이 씨가 무슨 영화를 좋아하냐고 했어요 .

1) 

마키

수업이 끝나고 어디에서 밥을 먹어요?

→ ....

2) 

알렉세이

한국 음악을 자주 들어요?

→ ....

3) 

왕쯔이

지난주에 바빴어요?

→ ....

4) 

카오루

날마다 운동하세요.

→ ....

5) 

간토야

담배를 피우지 마세요.

→ ....

6) 

장핑

도서관에 가서 같이 책을 읽을까요?

→ ....

7) 

압둘라

비가 오니까 등산을 가지 맙시다.

→ ....

2. 〈보기〉와 같이 대화를 완성하세요.

| 보기 |

가 : 상담 선생님이 뭐라고 했어요?

나 : 한국 생활이 재미있냐고 했어요 .

1) 가 : 간토야 씨가 마키 씨한테 뭐라고 했어요?

나 : 일본은 여름에 비가 많이 .... 물어봤어요.

2) 가 : 선생님이 뭐라고 했어요?

나 : 지금 어디에서 ....

3) 가 : 의사 선생님이 뭐라고 했어요?

나 : 따뜻한 물을 자주 ....

4) 가 : 의사 선생님이 또 뭐라고 했어요?

나 : 담배를 .... 지 말라고 했어요.

5) 가 : 선생님이 시험 보기 전에 뭐라고 했어요?
   나 : 시험이 어려우니까 ______________________________.

6) 가 : 주말에 뭐 할 거예요?
   나 : 기숙사에서 청소를 할 거예요. 방 친구가 같이 ______________.

7) 가 : 방학 때 뭐 할 거예요?
   나 : 친구가 함께 ____________________. 그래서 부산에 갈 거예요.

종합연습 다음 대화를 완성하세요.

제프리 : 토요일에 투이 씨가 생일 파티를 한다고 해요.
투이 씨가 간토야 씨도 1)______________ 냐고/(으)라고/자고 물어봤어요.

간토야 : 저도 갈 거예요. 그런데 투이 씨가 몇 시까지 2)______________ 냐고/(으)라고/자고 했어요?

제프리 : 저녁을 먹을 거니까 5시까지 3)______________ 냐고/(으)라고/자고 했어요.

간토야 : 어디에서 만나기로 했어요?

제프리 : 학교 근처에 있는 베트남 식당에서 4)______________ 냐고/(으)라고/자고 했어요. 그러니까 거기로 오라고 했어요.

간토야 : 네, 그럼 거기로 5시까지 갈게요.

정답

1과

어휘

1. 1) 다시　2) 정리　3) 벌써
   4) 잠깐　5) 표를
2. 1) 예매했어요　2) 들르세요
   3) 통화할　4) 야근해야
   5) 돌봐야

-는데요

1.

기본형	-는데요	-았/었/였는데요	-(으)ㄹ 건데요
가다	가는데요	갔는데요	갈 건데요
먹다	먹는데요	먹었는데요	먹을 건데요
찍다	찍는데요	찍었는데요	찍을 건데요
*듣다	듣는데요	들었는데요	들을 건데요
*살다	사는데요	살았는데요	살 건데요
기본형	**-(으)ㄴ데요**	**-았/었/였는데요**	
크다	큰데요	컸는데요	
깨끗하다	깨끗한데요	깨끗했는데요	
좋다	좋은데요	좋았는데요	
*춥다	추운데요	추웠는데요	
*멀다	먼데요	멀었는데요	
기본형	**-인데요**	**-이었/였는데요**	
의사	의사인데요	의사였는데요	
학생	학생인데요	학생이었는데요	

2. 2) 언니인데요　3) 안 먹는데요
   4) 가까운데요　5) 단데요
   6) 안 끝났는데요

-(으)ㄹ게요

1.

기본형	-(으)ㄹ게요
가다	갈게요
마시다	마실게요
부르다	부를게요
연락하다	연락할게요
먹다	먹을게요
앉다	앉을게요
*돕다	*도울게요
*듣다	*들을게요
*만들다	*만들게요

2. 1) 전화할게요　2) 먹을게요　3) 입을게요
   4) 살게요　5) 들을게요
   6) 만들게요(사올게요)

종합연습

〈예시답안〉

1) 바쁜데요　2) 전화할게요　3) 없는데요
4) 살게요　5) 준비할게요(만들게요/살게요)
6) 연락할게요

2과

어휘

1. 1) 반납하러　2) 상담할　3) 마중하러
   4) 응원하러　5) 부탁했어요
2. 1) 짐이　2) 선배예요
   3) 대청소를　4) 늦잠을　5) 방금

-(으)려고 하다

1. 2) 수업을 신청하려고 해요
   3) 머리를 자르려고 해요
   4) 고기하고 과일을 사려고 해요
   5) 소포를 보내려고 해요
2. 1) 학교에 오려고 했어요
   2) (그 영화를) 보려고 했어요
   3) (드레스를) 입으려고 했어요
   4) (음식을) 더 먹으려고 했어요
   5) (책을) 읽으려고 했어요
3. 〈예시 답안〉
   1) 스파게티를 만들려고 해요(고향 음식을 만들려고 해요)
   2) 파란색 치마를 입으려고 해요(빨간색 바지를 입으려고 해요/드레스를 입으려고 해요)
   3) 친구하고 생일 파티를 하려고 해요(노래방에 가려고 해요)
   4) 부산에 가려고 해요(그냥 집에서 쉬려고 해요)
   5) 고향에 가려고 해요(아르바이트를 하려고 해요/영어를 배우려고 해요)
   6) 대학원에 가려고 해요(취직하려고 해요)

-기로 하다

1. 2) 취소하기로 했어요
   3) 끊기로 했어요
   4) 믿지 않기로 했어요
   5) 결혼하기로 했어요
   6) 걷기로 했어요
2. 〈예시 답안〉
   2) 파티를 하기로 했어요(놀기로 했어요/노래방에 가기로 했어요/여행을 가기로 했어요)
   3) 일찍 오기로 했어요
   4) 듣지 않기로 했어요(다음에 듣기로 했어요/포기하기로 했어요/그만 듣기로 했어요)
   5) 이사를 가기로 했어요
   6) 매일 아침을 꼭 먹기로 했어요(매일 전화를 하기로 했어요/공부를 열심히 하기로 했어요)

종합연습

〈예시답안〉

1) 보려고　2) (영화를) 보기로

3) 보려고　4) 먹기로　5) 가기로

3과

어휘

1. 1) 덥다 • ······ • 춥다
   2) 뚱뚱하다 • ······ • 따뜻하다
   3) 흐리다 • ······ • 더럽다
   4) 시원하다 • ······ • 날씬하다
   5) 깨끗하다 • ······ • 맑다

   (연결: 1) 덥다–춥다, 2) 뚱뚱하다–날씬하다, 3) 흐리다–맑다, 4) 시원하다–따뜻하다, 5) 깨끗하다–더럽다)
2. 1) 눈이　2) 재료로　3) 장마여서
   4) 외국어　5) 전통

-아/어/여지다

1.

기본형	-아/어/여져요	-아/어/여졌어요
싸다	싸져요	싸졌어요
많다	많아져요	많아졌어요
좋다	좋아져요	좋아졌어요
높다	높아져요	높아졌어요
재미있다	재미있어져요	재미있어졌어요
예쁘다	예뻐져요	예뻐졌어요
깨끗하다	깨끗해져요	깨끗해졌어요
뚱뚱하다	뚱뚱해져요	뚱뚱해졌어요
*춥다	추워져요	추워졌어요
*쉽다	쉬워져요	쉬워졌어요

2. 2) 깨끗해졌어요 3) 조용해졌어요
   4) 좋아졌어요 5) 어려워졌어요
   6) 멀어졌어요

-는

1.

기본형	-는	기본형	-는
가다	가는	먹다	먹는
자다	자는	듣다	듣는
보다	보는	읽다	읽는
만나다	만나는	*살다	사는
쉬다	쉬는	*알다	아는
마시다	마시는	*만들다	만드는
배우다	배우는	*열다	여는

2. 1) 압둘라 씨가 좋아하는
   2) 카오루 씨가 자주 듣는
   3) 이리나 씨가 많이 마시는 음료수는 콜라예요
   4) 간토야 씨가 좋아하는 동물은 고양이예요
   5) 장핑 씨가 자주 만나는 사람은 왕쯔이 씨예요
   6) 바트 씨가 자주 하는 운동은 수영이에요
3. 2) 손을 씻는 사람이 왕쯔이 씨예요
   3) 물을 마시는 사람이 카오루 씨예요
   4) 쉬는(자는)
   5) 빵을 먹는
   6) 공부하는 사람은 누구예요(책을 보는/읽는 사람은 누구예요)

종합연습

〈예시 답안〉

가 : 요즘 일본 날씨가 어때요?
나 : 많이 추워졌어요.
그래서 온천에 자주 가요.
가 : 온천이 뭐예요?
나 : 온천은 일본 사람들이 겨울에 자주 가는 곳이에요.
가 : 그래요? 다음에 같이 가요.

4과

어휘

1. 1) 옷 — 입다
   2) 넥타이 — 매다
   3) 운동화 — 신다
   4) 안경 — 쓰다
2. 1) 놓아 2) 모으고 3) 쓸
   4) 홈페이지에서도 5) 환전을

-아/어/여서[2]

1. 1) 친구를 만나서 영화를 봤어요
   2) 케이크를 만들어서 친구에게 선물했어요
   3) 요리를 해서 먹었어요
   4) 학교에 가서 공부했어요
   5) 커피숍에 가서 책을 읽었어요
2. 2) 미용실에 가서 머리를 자를 거예요
   3) 사과를 씻어서 먹었어요
   4) 매일 아침 일어나서 물을 마셔요
   5) 은행에서 돈을 찾아서 쇼핑을 할 거예요

-(으)ㄴ[2]

1.

기본형	-(으)ㄴ	기본형	-(으)ㄴ
가다	간	읽다	읽은
보다	본	신다	신은
만나다	만난	*돕다	도운
마시다	마신	*묻다	물은
쓰다	쓴	*걷다	걸은
먹다	먹은	*살다	산
입다	입은	*만들다	만든

2. 1) 빨간색 바지를 입은 선생님은 김 선생님이에요
   2) 주말에 간 산은 북한산이에요
   3) 산책을 하러 간 공원에 나무가 아주 많았어요
   4) 어제 친구하고 같이 먹은 김치찌개가 좀 매웠어요
   5) 오늘 배운 문법을 집에서 복습할 거예요
3. 2) 부모님 선물이에요 3) 만드신 음식은
   4) 받은 것은 5) 윷놀이예요

종합연습

1) 만들어서 2) 쓴 3) 넣어서
4) 꺼내서 5) 사 온

5과

어휘

1. 1) 간식을 2) 통장을 3) 신청서에
   4) 배탈이 5) 신분증이
2. 1) 어려요 2) 회식하기로
   3) 갔다 올게요 4) 태어나서
   5) 이해할

못

1. 1) 기타를 칠 수 있어요 / 피아노는 못 쳐요
   2) 자전거를 탈 수 있어요 / 말은 못 타요
   3) 스케이트를 탈 수 있어요 / 스키는 못 타요
   4) 요가를 할 수 있어요 / 수영은 못 해요
   5) 농구를 할 수 있어요 / 야구는 못 해요
2. 1) 고향에 못 가요(못 돌아가요)
   2) 아침을 못 먹었어요
   3) 숙제를 못 했어요
   4) 기타를 못 쳐요
   5) 스키를 못 타요

-(으)ㄹ 때

1. 〈예시 답안〉
   2) 약을 먹어요
   3) 버스를 타요(지하철을 타요)
   4) 학교에 안 갈 때(고향 음식이 먹고 싶을 때)
   5) 울고 싶을 때
   6) 시험 볼 때 떡을 선물해요
2. 〈예시 답안〉
   1) 선물을 받을 때(시험 점수가 좋을 때)
   2) 바쁠 때(길을 모를 때)
   3) 결혼식에 갈 때(취직 시험을 볼 때)
   4) 친구가 약속을 잊어버렸을 때(시험 성적이 안 좋을 때)
   5) 기분이 안 좋을 때(명동에 갈 때)
   6) 날씨가 좋을 때(기분이 안 좋을 때)
   7) 친구가 보고 싶을 때(학교에 못 갈 때)

종합연습

2) 산책을 할 때
3) 식사할 때
4) 코미디를 볼 때
5) 웃습니다

6과

어휘

1. 1) 호수　2) 결혼식이　3) 추억이
   4) 책장을　5) 나중에
2. 1) 옮겨야　2) 외출했어요　3) 얘기할
   4) 생겼어요　5) 찾아볼게요

-(으)ㄹ

1.

기본형	-(으)ㄹ	기본형	-(으)ㄹ
가다	갈	먹다	먹을
자다	잘	읽다	읽을
보다	볼	*돕다	도울
쉬다	쉴	*듣다	들을
마시다	마실	*걷다	걸을
내리다	내릴	*살다	살
자르다	자를	*만들다	만들
부르다	부를	*열다	열

2. 1) 내일 볼 영화는 **한라산**이에요
   2) 남자 친구에게 줄 선물은 시계예요
   3) 일요일에 만날 친구는 **한국대학교** 학생이에요
   4) 내일 배울 문법이 어려워요
   5) 주말에 갈 공원에서는 자전거를 탈 수 있어요
   6) 청소하면서 들을 노래는 **나인**이 불렀어요
   7) 다음 주에 이사할 집은 학교에서 가깝지 않아요
3. 2) 만날(볼)　3) 만날
   4) 파티를 할 장소(곳)는
   5) 탈 지하철은
   6) 내릴 지하철역은
   7) 〈예시 답안〉 나올 출구는 3번 출구예요

-(으)면

1. 2) 심심하면 우리 집에 놀러 오세요
   3) 용돈을 받으면 그 옷을 사려고 해요
   4) 김치가 너무 매우면 먹지 마세요
   5) 고향에 가면 선생님께 이메일을 보낼게요

2. 〈예시 답안〉
1) 우리 나라에서는 감기에 걸리면 꿀차를 마셔요
2) 용돈을 다 쓰면 아르바이트 할 거예요
3) 눈이 오면 친구들과 눈싸움을 하고 싶어요(눈사람을 만들고 싶어요)
4) 고향 친구가 서울에 오면 명동에 갈 거예요
5) 부산에 여행을 가면 해운대에서 수영을 하고 싶어요
6) 여권을 잃어버리면 대사관에 가서 다시 신청해야 해요

종합연습

〈예시 답안〉
1) 갈(여행 할)　2) 있으면
3) 먹을　4) (여행을) 가면

7과

어휘

1. 1) 과목은　2) 분위기가　3) 동영상을
4) 쓰레기가　5) 성격이
2. 1) 즐겨 보고　2) 맑지만　3) 싸고
4) 늦어서　5) 정리해야　6) 활발한
7) 추천하고

-(으)ㄹ까요?[2]

1. 2) 어려울까요　3) 좋을까요
4) 많을까요　5) 얼마나 걸릴까요
6) 얼마나 나올까요　7) 도착했을까요

-(으)ㄹ 거예요[2]

1. 2) 읽을 거예요　3) 살 거예요
4) 들을 거예요　5) 만날 거예요
6) 많을 거예요　7) 더울 거예요
8) 맛있을 거예요
2. 1) 많을까요　2) 어려울까요
3) 알까요　4) 비가 올 거예요
5) 공부할 거예요　6) 더울 거예요
7) 〈예시 답안〉 아이 사진을 봤어요. 아마 결혼하셨을 거예요
8) 〈예시 답안〉 중국에서 지금 뭐 하고 있을까요? / 회사에 취직했을 거예요 (사업을 하고 있을 거예요)

-는데

1. 1) 가는데　2) 좋은데　3) 아는데
4) 작은데　5) 먼데　6) 살았는데
7) 먹었는데　8) 좋아했는데　9) 불렀는데
2. 1) 활발한데　2) 큰데　3) 있는데
4) 먹는데　5) 많았는데(있었는데)
6) 추웠는데
3. 〈예시 답안〉
1) 고향은 여름에 별로 덥지 않은데 한국은 아주 더워요
2) 학교 식당은 값이 싼데 학교 밖에 있는 식당은 비싸요
3) 동생은 눈이 큰데 저는 눈이 작아요
4) 왕쯔이 씨는 활발한데 마키 씨는 조용해요
5) 1급은 단어가 적고 문법이 쉬운데 2급은 단어가 많고 문법이 어려워요

6) 한국에 오기 전에는 요리를 못했는데 지금은 요리를 잘해요

종합연습

1) 괜찮아질(좋아질) 2) 맵지 않은데
3) 요리를 못했는데 4) 좋아질

8과

어휘

1. 1) 골목은 2) 음료를 3) 계단으로
 4) 맛이 5) 쭉
2. 1) 내려오세요 2) 꿔서 3) 들어오세요
 4) 서두르세요 5) 그만뒀어요

-다가

1. 1) 요리를 하다가 전화를 받았어요
 2) 공원을 걷다가 의자에서 좀 쉬었어요
 3) 부모님한테서 온 이메일을 읽다가 울었어요
 4) 버스를 타고 가다가 지하철로 갈아타세요
 5) 지하철 2호선을 타고 가다가 4호선으로 갈아타세요
2. 〈예시 답안〉
 1) 청소하다가
 2) 길을 가다가
 3) 기숙사에서 살다가
 4) 영화를 보다가
 5) 쭉 오다가 첫 번째 사거리에서 오른쪽 골목으로 들어오세요

-(으)니까

1.

기본형	-(으)니까	기본형	-(으)니까
가다	가니까	예쁘다	예쁘니까
자다	자니까	싸다	싸니까
마시다	마시니까	깨끗하다	깨끗하니까
전화하다	전화하니까	많다	많으니까
먹다	먹으니까	적다	적으니까
읽다	읽으니까	재미있다	재미있으니까
*돕다	도우니까	*맵다	매우니까
*듣다	들으니까	*걷다	걸으니까
*알다	아니까	*길다	기니까

2. 1) 날씨가 쌀쌀하니까
 2) 떡볶이가 매우니까
 3) 그 학생 전화번호를 아니까
 4) 〈예시 답안〉 아기가 자니까
 5) 〈예시 답안〉 방이 더러우니까
3. 〈예시 답안〉
 1) 어디로 옷을 사러 갈까요 / 명동에 옷가게가 많으니까 명동으로 가요
 2) 어디로 여행을 갈까요 / 제주도가 아름다우니까 제주도로 가요
 3) 어디로 한국 음식을 먹으러 갈까요 / 인사동에 맛있는 식당이 있으니까 인사동으로 가요
 4) 어디로 데이트를 하러 갈까요 / 남산이 경치가 좋으니까 남산으로 가요

종합연습

미용실이 어디에 있습니까 / 이 길로 쭉 가다가 사거리에서 오른쪽으로 가세요 / **국민약국** 옆에 미용실이 있어요 / 손님이 많으니까 전화를 하고 가세요

9과

어휘

1. 1) 촬영하는 2) 지켜요 3) 앉아서
   4) 풀었어요 5) 키우고
2. 1) 예절에는 2) 회의 3) 건물
   4) 고민이에요 5) 소리가

-아/어/여도 되다

1. 1) 이 주스를 마셔도 돼요
   2) 여기에서 기다려도 돼요
   3) 밥 먹기 전에 약을 먹어도 돼요
   4) 잠깐 사무실에 다녀와도 돼요
   5) 이 우산을 좀 써도 돼요
   6) 여기에서 음악을 들어도 돼요
2. 1) 먹어도 돼요 2) 가져와도 돼요
   3) 가도 돼요 4) 보내도 됩니다
   5) 전화해도 돼요 6) 앉아도 돼요

-(으)면 안 되다

1. 1) 사진을 찍으면 안 돼요
   2) 음료수를 마시면 안 돼요
   3) 이야기하면 안 돼요
   4) 만지면 안 돼요
2. 〈예시 답안〉
   1) 뛰면 안 돼요 / 문에 기대면 안 돼요 / 노약자석에 앉으면 안 돼요
   2) 사진을 찍으면 안 돼요 / 물건을 만지면 안 돼요 / 담배를 피우면 안 돼요
   3) 사람이 너무 많이 타면 안 돼요 / 다른 사람을 밀면 안 돼요 / 내리기 전에 먼저 타면 안 돼요

종합연습

〈예시 답안〉

해도 되는 것	하면 안 되는 것
· 식사할 때 밥그릇을 들고 먹어도 돼요. · 초대를 받아서 밥을 먹을 때 음식을 남겨도 돼요. ⋮	· 벽시계를 선물하면 안 돼요. ⋮

우리 나라에서는 식사할 때 밥그릇을 들고 먹어도 돼요. 그리고 초대를 받아서 밥을 먹을 때 음식을 남겨도 돼요. 그런데 벽시계를 선물하면 안 돼요. 벽시계를 선물하면 선물을 받은 사람에게 나쁜 일이 생길 거예요…

10과

어휘

1. 1) 경험이 2) 도시에 3) 공기가
   4) 관심이 5) 화가
2. 1) 외우세요 2) 따라가세요
   3) 잘됐어요 4) 구했어요 5) 울어요

-아/어/여 보다

1. 1) 타 봤어요
   2) 마셔 봤어요
   3) 여행해 봤어요
   4) 들어 봤어요

5) 불러 봤어요

2. 〈예시 답안〉
   1) 찾아 보세요
   2) 전화해 보세요
   3) 네, 만들어 봤어요
   4) 아니요, 안 가 봤어요
   5) 영어를 가르치는 아르바이트를 해 봤어요

-(으)면서

1. 1) 노래를 부르면서
   2) TV를 보면서
   3) 사진을 보면서
   4) 음악을 들으면서
   5) 콜라와 팝콘을 먹으면서
2. 〈예시 답안〉
   1) 커피를 마시면서
   2) 음악을 들으면서
   3) 사진을 보면서 이야기해요
   4) 걸으면서 친구하고 이야기해요
   5) 친구하고 이야기하면서 밥을 먹고 있어요

종합연습

〈예시 답안〉

1) 고쳐
2) 맥주를 마시면서
3) 해
4) 안 해
5) 맥주를 마시면서

11과

어휘

1. 1) 벌면 2) 취직하고 3) 신선한 4) 두꺼워서 5) 싫어서
2. 1) 오랜만이에요 2) 평소에 3) 자신이 4) 낮잠을 5) 세일을

(이)나, -거나

1. 1) 농구나 축구를
   2) 지하철이나 버스를
   3) 케이팝(K-POP)이나 재즈를
   4) 샌드위치나 김밥을
   5) 화장품이나 향수를
2. 1) TV를 보거나
   2) 낮잠을 자거나
   3) 빨래를 하거나
   4) 음식을 만들거나
   5) 단 음식을 먹거나
3. 〈예시 답안〉
   1) 차를 마시거나 영화를 봐요
   2) 책을 읽거나 게임을 해요
   3) 대학원에 가거나 회사에 취직할 거예요
   4) 메시지를 보내거나 전화를 해요
   5) 친척 집에 놀러 가거나 바다로 여행을 갔어요

-(으)려고

1. 2) 심심할 때 읽으려고 책을 샀어요
   3) 연락을 하려고 전화번호를 물어봤어요

4) 한국 회사에 취직하려고 한국어를 배우고 있어요
5) 뉴스를 들으려고 라디오를 켰어요
6) 떡볶이를 만들려고 재료를 샀어요

2. 〈예시 답안〉
1) 영화를 보려고
2) 물어보려고
3) 주려고
4) 친구들하고 같이 먹으려고
5) 만들려고

종합연습

〈예시 답안〉
1) 보려고
2) 코미디 영화나 액션 영화를
3) 집에서 쉬거나 쇼핑하러 가요
4) 쇼핑하러 가요

12과

어휘

1. 1) 출퇴근 2) 교통사고가 3) 기억에
4) 수술을 5) 악기
2. 1) 중요한 2) 넘어졌어요 3) 떨려서
4) 아쉽네요 5) 떨어질

-네요

1. 1) 많네요 2) 귀엽네요
3) 막히네요 4) 청소하네요
5) 많이 왔네요

2. 〈예시 답안〉
1) 맛있네요 2) 좋네요
3) 열심히 공부하네요
4) 가깝네요 5) 힘드네요

-(으)ㄴ 적이 있다/없다

1. 2) 아르바이트한 적이 없어요
3) 사진을 찍은 적이 있어요
4) 공부한 적이 있어요
5) 탄 적이 없어요

2. 〈예시 답안〉
1) 네, 타 본 적이 있어요
2) 한국 소설책을 읽은 적이 있어요
3) 아니요, 외국에서 산 적이 없어요
4) 네, 들어 본 적이 있어요
5) 아르바이트를 해 본 적이 있습니까

종합연습

〈예시 답안〉
1) 부산에 가 본
2) 경치가 정말 좋네요
3) 가고 싶네요

13과

어휘

1. 1) 주말마다 2) 결과가 3) 자꾸
4) 장학금을 5) 주인공이
2. 1) 쓰지 2) 화려한 3) 낫지
4) 졸리네요 5) 그치고

-는/(으)ㄴ/(으)ㄹ 것 같다

1. 2) 도착할 3) 좋은 4) 본
   5) 바쁜 6) 더울 7) 외국 사람인
2. 1) 주말마다 아르바이트를 하는 것 같아요
   2) 지금 한국어 수업을 듣는 것 같아요
   3) 아까 집에 간 것 같아요
   4) 가게 문을 닫는 것 같아요
   5) 좀 늦을 것 같아요
   6) 배가 고픈 것 같아요
   7) 좋은 성적을 받을 것 같아요
   8) 재미있는 사람인 것 같아요
3. 1) 샤워를 하는 것 같아요
   2) 무서울 것 같아요
   3) 시끄러운 것 같아요
   4) 많을 것 같아요
   5) 막힐 것 같아요
   6) 집에 가신 것 같아요(퇴근하신 것 같아요)
   7) 이 여자를 좋아하는 것 같아요
   8) 맛있을 것 같아요

종합연습

〈예시 답안〉

1) 어울릴
2) 예쁠
3) 입어 봐도
4) 어울리는
5) 큰

14과

어휘

1. 1) 금방 2) 내용이 3) 그대로
   4) 상담 5) 이유는
2. 1) 주문해서 2) 다양하니까 3) 떠들면
   4) 기르는 5) 참석하십니까

-는/ㄴ다고 하다, -다고 하다

1. 1) 마키 씨가 매일 도서관에 가서 책을 읽는다고 했어요
   2) 알렉세이 씨가 고향 음식을 자주 만든다고 했어요
   3) 카오루 씨가 오늘 날씨가 좋다고 했어요
   4) 압둘라 씨가 고향은 여름에 아주 덥다고 했어요
   5) 왕쯔이 씨가 한국 사람이 아니라고 했어요
   6) 간토야 씨가 주말에 책을 읽었다고 했어요
   7) 장핑 씨가 고향에서 한국어를 배우지 않았다고 했어요
   8) 투이 씨가 다음 시험은 어렵지 않을 거라고 했어요
2. 〈예시 답안〉
   1) 한강은 경치도 예쁘고 유람선도 탈 수 있다고 했어요
   2) 영화 **미나리**를 보세요. 친구들이 재미있다고 했어요
   3) 홍삼 어때요? 건강에 좋다고 해요
   4) 날씨가 맑다고 했어요
   5) 친구들이랑 노래방에서 재미있게 놀았다고 했어요

-냐고/(으)라고/자고 하다

1. 1) 마키 씨가 수업이 끝나고 어디에서 밥을 먹냐고 했어요
   2) 알렉세이 씨가 한국 음악을 자주 듣냐고 했어요
   3) 왕쯔이 씨가 지난주에 바빴냐고 했어요
   4) 카오루 씨가 날마다 운동하라고 했어요
   5) 간토야 씨가 담배를 피우지 말라고 했어요
   6) 장핑 씨가 도서관에 가서 같이 책을 읽자고 했어요
   7) 압둘라 씨가 비가 오니까 등산을 가지 말자고 했어요
2. 〈예시 답안〉
   1) 오냐고
   2) 사냐고 했어요
   3) 마시라고 했어요
   4) 피우지
   5) 열심히 공부하라고 했어요
   6) 청소를 하자고 했어요
   7) 부산으로 여행을 가자고 했어요

종합연습

〈예시 답안〉

1) 올 수 있냐고 2) 오라고 3) 오라고
4) 만나자고

MEMO